学び方の
学び方

バーバラ・オークレー
Barbara Oakley
オラフ・シーヴェ
Olav Schewe

ACHIEVEMENT PUBLISHING

はじめに

どんなに時間をかけても、結局は骨折り損、そんなことはないか？　読んだ内容をなかなか吸収できないと思ってはいないか？　勉強しても退屈ですぐに気が散る、だから身が入らない、そんな経験は？

そんな人たちにこそ本書を読んでほしい。

本書の著者、オラフ・シーヴェとバーバラ・オークレーは、ふたりとも勉強するという作業に苦しめられた経験者だ。だからこそ、対象がどんなものであっても身につけるのに役立つテクニックを考え出した。神経科学や認知心理学の知見をもとにして、数学でも言語でも、あるいはプログラミング、空手、料理その他なんであっても、それらの学習の能力を向上してくれる王道を紹介する。

頭を使っているとき、何がその頭の中で起こっているのかが見えてくるので、その王道が教えてくれるさまざまな手法が〝なぜ〟有効なのかが理解できるだろう。

とはいっても、本書が紹介するのは奇跡ではない。ただし、挫折感を抑えこみ、学習の成果を向上させることによって、奇跡が起きたような気持ちになることはあるかもしれない。

オラフの場合、いつも良い成績をとりたいと思っていたにもかかわらず、どんなに一生懸命勉強しても、うまくいかなかった。自分の頭がよくないのだから無理な話だと思い、半ばあきらめていた。

ところが、あるときこんなことに気がついた。成績を上げるためのカギは、自分自身の生まれつきの能力でも、勉強に費やした時間の長さでもなく、それは勉強への〝取り組み方〟にあるのだ。そこで十代のころ、自分を冷静に見つめ直し、学習のテクニックに少しばかり工夫を加えたところ、成績が上向き始めた。

その結果、オラフは、平均的な成績の〝のんびりした〟学生から一転、通っていた高校で最優等生になった。その後進学すると、オックスフォード大学で目覚ましい成績で経済学と経営学の修士号を修めている。その著書『ノルウェー出身のスーパーエリートが世界で学んで選び抜いた王道の勉強法』(片山奈緒美訳、TAC出版、2018年)で、効果的な勉強法を紹介したところ、国際的なベストセラーとなった。一二以上の言語に翻訳されている。

一方のバーバラは、高校時代ずっと、数学と科学で落第点をとっていた。自分には〝数学を理解する遺伝子〟がないと思い込んでいた。それでも、二十代の後半、数学の勉強を一からやり直そうと一念発起、その手始めに高校時代の代数に取り組んだ。すると少しずつ数学と科学が理解できるようになった。

というのも、それ以前にアメリカ国防省語学学校で身につけた強力な学習手法にならったおかげで、うまくいったのだ。今では、工学の教授になっている。それだけではない、〝学習法を身に着ける〟という世界最大の公開オンラインコースのひとつで何百万人もの学生を教えているのだ。つまりこの例からわかるのは、生まれつき何かものごとに成功する能力がないと思い込んでいる場合でも、その能力がないはずはないということだ。

学習に関する著作、教授そして研究に携わった長年の経験を通して、オラフとバーバラはじつにさまざまな研究分野の専門家と親交を深めてきた。このささやかな著作で紹介しようとしているのは、実践的な学習のツールの中でも最高のものと、そして、神経科学、認知心理学、教育をはじめ多くの分野の研究を総合して得られた知見だ。しかもこれらは、学習のアリ地獄から自力で這い出してきた何千人もの学生からのフィードバックによって磨きがかけられている。

もし、ある対象を身につけるのが難しいと感じても、心配することはない。望みはある。本書で紹介している知見やツールによって、たとえいくつかの対象を身につけるのに異常なほど時間がかかる場合があるにしても、自分の学習の効率を大きく向上させられることを読者は実感するだろう。

成果をおさめている学習者は、少しずつ、自分が持っている知的活動の道の中に道具やテクニックを増やしていき、それらのツールやテクニックを駆使して客観的な視点を持ちながら考えを巡らせる。つまり、自分自身の学習の状態を批判的に捉え、自分の知的活動の道具を、いつ、そしてどうすれば最高に使いこなせるかを判断するために、自分自身の学習の状態を批判的に捉えるのだ。そうすることで学習者は、その頭脳を、それが〝自ずから〟学習する姿勢に向いていてもいなくても、最高に活かせるのだ。本書では、読者にもこれと同じことができる方法を紹介する。

それでは始めよう。

目次

第二章 行き詰まりを克服するには

第三章 より深く学習するには

第四章 作業記憶を最大にして、上手にノートをとるには

第五章 記憶し内在化するには

第六章 自律心がないときでも、それを発揮するには

第七章 自分自身をその気にさせるには

第八章 効率よく読書をするには

第九章 試験で好成績をあげるには

第一〇章 戦略的な学習者になるには

第一章

どこまでも集中し、そして怠けぐせに打ち勝つには

読者が本書を手にしているのは、学習の内容がどんなものであれ、勉強をしている時間の一分一秒までもとにかく有効に使いたいと思っているからだろう。そこで、本書の冒頭で、学習の世界におけるもっとも単純でもっとも強力な知的活動のツールを紹介しよう。それはポモドーロ・テクニックだ（一九八〇年代にイタリア人のフランチェスコ・シリロが考案したもので、この名称は丸いトマトの形状をしたキッチンタイマーからつけられている。ポモドーロとはイタリア語でトマトのことだ）。

この賢い手法は間違いなく集中力を高めてくれるだろうし、それは研究からも明らかになっている。まずはそのテクニックを紹介し、そのあとでなぜそれが有効に働くのかを説明する。

ポモドーロ・テクニック

人気のポモドーロ・テクニックアプリ
Focusbooster（PC）
PomoDone
Forest
Toggl

学習環境を構築するためにこの手法を活用しよう。

一　勉強する、あるいは仕事をしようとする場所に腰を下ろし、邪魔になりそうなものを排除する。

つまりこうすることによって、コンピューター画面に不意にポップアップが出る、携帯電話が鳴る、そのほか気をそらすものが何もないという状態ができあがるわけだ。

二　タイマーを二五分に設定する。

タイマーは機械式でも音のしないデジタル式でもよい。また、タイマーでなくても、電話用のアプリケーションでも構わない。

もし電話を使うなら、それを目に見えない手の届かない場所に置いて、集中しているときに気が散らないようにする。

三　設定した二五分間、できる限り徹底して勉強や仕事に没入する。

もし、気が散っても（自ずとそうなってしまうものだ）、目の前の対象に意識を戻そう。たいていのものは、二五分間手を付けなくてもすむし、先延ばししてもよいものだ。もしそのほうに手を付けなければという思いが強くなって気が散ったら、それをポモドーロの時間が終わったあとでする〝必須〟リストに書いておこう。

四　ポモドーロの時間が終わったら、約五分間の褒美の時間をとろう。

好きな歌を聴いてもよいし、目を閉じてリラックスする、散歩をする、お茶を入れる、犬や猫を抱いてかわいがる、などなど、なんでも自分の気持ちを自由に穏やかにしてくれる、そんな褒美のときだ。その休憩時間は、また、携帯電話や電子メールのチェックを忘れてしまえる最高の瞬間なのだ。その理由はまたあとで述べる。

恐縮ですが
切手を貼っ
てお出しくだ
さい

郵便はがき

141-0031

東京都品川区西五反田
2－19－2 荒久ビル4F

アチーブメント出版(株)
ご愛読者カード係行

お名前	男・女	歳
ご住所 (〒 -)		
ご職業		
メール アドレス @		
お買上書店名 都道府県 市区郡 書店		

この度は、ご購読をありがとうございます。
お手数ですが下欄にご記入の上、ご投函頂ければ幸いです。
このカードは貴重な資料として、
今後の編集・営業に反映させていただきます。

●本のタイトル

●お買い求めの動機は

①広告を見て(新聞・雑誌名)
②紹介記事、書評を見て(新聞・雑誌名)
③書店で見て ④人にすすめられて ⑤ネットで見て
⑥その他( )

●本書の内容や装丁についてのご意見、ご感想をお書きください

●興味がある、もっと知りたい事柄、分野、人を教えてください

●最近読んで良かったと思われる本があれば教えてください

本のタイトル
ジャンル
著者

●当社から情報をお送りしてもよろしいですか?
(はい ・ いいえ)

ご協力ありがとうございました。

ポモドーロ・テクニック 簡単な4つのステップ

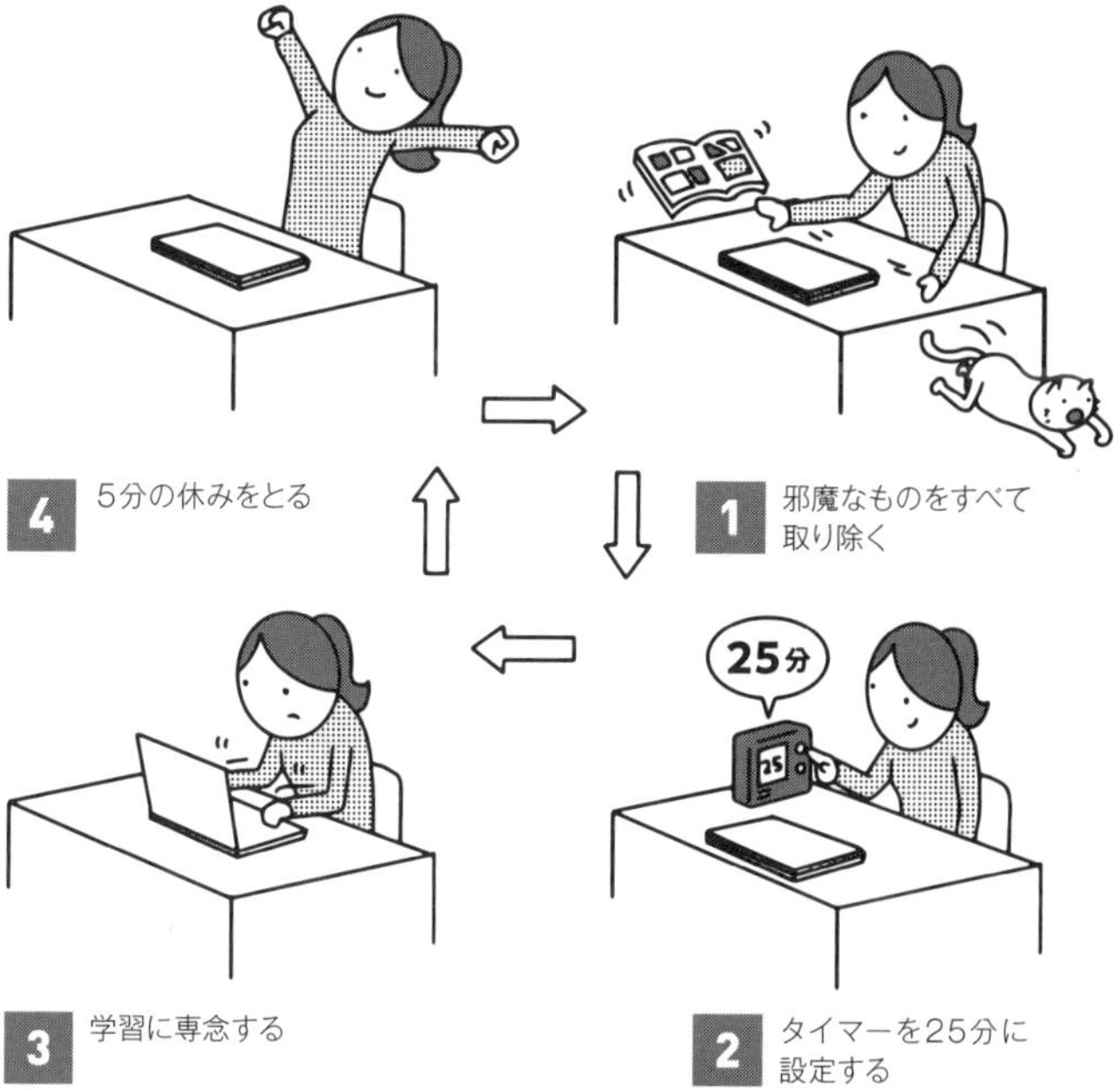

五　忠実に繰り返す。

もし、二時間勉強したいと思ったら、毎回五分の休憩を入れてポモドーロを四回繰り返せばよい。もしその休憩が終わっても勉強に戻る気になれなかったら、休憩専用のタイマーも別に設定することだ。

簡単ではないだろうか？　じつに〝簡単な

こと〟だ。ポモドーロを繰り返しているときに頭が働かないことがあるかもしれない。しかし現実には、たいていの人は二五分の間、集中力を持続できるものだ。

なぜ、ポモドーロ・テクニックは有効なのか？

とても単純なことがなぜそれほど強力になるのか、不思議に感じられるかもしれない。強力である理由はこうだ。ポモドーロ・テクニックは頭が学習するそのあり様(よう)の重要な特徴をよく掴んでいるからだ。

・ポモドーロが生み出す爆発的な意識の高まりによって、脳は散漫になることなく集中して働ける。これは現代の注意を散漫にさせてしまう携帯電話の世界にあって、

とりわけ必要なものだ。※1

・集中から解放されて脳を少しの間休ませるのは、学習したての内容を、長期記憶の領域に移すためには理想的なことだ。それによって頭がすっきりして、また新たな学習に取り組める。本人にはこの記憶領域に移している様子は感じとれない。だから往々にしてこの脳を休ませる過程を省略してしまったりする。しかしそれは禁物だ。※2

・褒美があるという思い。これによってポモドーロの間終始一貫、学習意欲を維持していられるのだ。

・いつ終われるかもわからない学習状態でいるよりも、短い時間、瞬発的に学習に全力投球するほうが、はるかに簡単だ。

・学習する姿勢によって、〝目標〟や〝結果〟に、ではなく、ある一定の時間集中するという〝過程〟にこだわるというパターンが生まれる。長期的に見れば、どんな個々の学習行動や目標よりも、すぐれた過程（プロセス）を自分のものにするほうがはるかに重要だ。

・自分の好きでないことや、したくないことに意識がいくと、島皮質が刺激され、〝頭の中の痛み〟の原因となる。この痛みは本来の学習に二〇分間ほど集中すると消えてなくなる。[※3] だから二五分という時間は、学習モードに入り込むために最適の長さなのだ。

ポモドーロ・テクニックは、適応性が高い。この流れに乗って、二五分間の学習を繰り返したいという気になったら、好都合だ。褒美の時間の長さも柔軟に変えられる。だからもしポモドーロの時間が通常の二五分よりも長くなるなら、五分よりも長くしてよい。ただし、脳の休息をとることが重要であることを忘れないように。

ある時間記録のアプリケーションから得られたデータの分析によれば、非常に生産性の高い労働者の働く時間は平均で五二分、そのときの休憩時間は一七分になるという。[※4] 要するに、これらのエースの労働者が集中しているとき、彼らは〝実際に〟集中している、そして一方、休憩をとっているときには、ほんとうに休憩しているのだ。

ポモドーロを終えて何もすることがなくなるなら、いいことだ。しかし、もしまだすることが残っているなら、五分間の休憩（必要なら〝休憩専用〟タイマーをセットする）をとり、そして次のポモドーロを始めよう。一連のポモドーロの手順に乗っているなら、三回か四回のポモドーロを終えたあとに、長めに、一〇分から一五分の休憩をとろう。

もし新たな学習をするためにポモドーロの手法を使うなら、**そのポモドーロのうちの少なくとも数分間を使って、今学習していることを脇に置き、直前に学習したばかりの内容を思い出すのも賢明な方法**だ。第三章で述べるように、思い出すこと（回収作業とも呼ばれる）は、新しい情報を吸収し理解するためのもっとも強力な方法のひとつなのだ。

学習中の休憩時間には、携帯電話を忘れていよう

ラトガーズ・ビジネススクールのサンゴーン・カンとテリー・クルツバーグ両教授の研究によって、**休憩中に携帯電話をいじると、携帯電話にまったく触れずに休憩時間を過ごすのと比較して、頭脳の回復が効果的におこなわれないことが明らかになった。**※5 次のように述べている。

「人々の携帯電話中毒がますますひどくなっているのだから、時間を見つけては自分の携帯電話に手を伸ばすたびに、意図しないコストが生まれている事実を認識することが大切だ。人々は、携帯電話だけが特別ではない、人とのやりとりや休憩といった

類のものと同じだと考えてはいるのかもしれないが、この研究は、携帯電話が予想以上に知的活動にとって厄介至極なしろものかもしれないことを教えてくれている」

携帯電話はまた、対面でのトレーニングや教育を受けているときには、とりわけ煩わしい存在になる。ある研究によれば、「携帯電話を使わない学生は、携帯電話を絶えず使っている学生と比較して、ノートに書き留める情報が六二パーセント多く、講義から得た内容をより詳しく思い出せ、しかもテストで満点に近い成績をおさめていた」。※6

学習しているときに、脇に携帯電話を置いておくだけでも、邪魔になる。なぜなら、そばにあるとわかっていると、頭はその携帯電話をずっと意識し続けるからだ。※7

電話がなくて落ち着かないと感じるなら、やはり手の届かないところに置くほうがよいと研究者は考えている。※8 自分の携帯電話をバックパックやブリーフケース、財布、はてはクルマやオフィスに置いておくだけで、自分の集中力がいかに高まるのか、驚かされることになるはずだ。

学習しているときのマルチタスクは禁物

新たな課題へと転換する、すなわちスイッチするたびに、自分の頭の中にあるその課題に関連した情報を呼び起こす。[※9] もし絶えず課題スイッチするのなら――あることをしているあいだにも、しょっちゅう携帯電話をチェックするというように――変えるたびに時間とエネルギーが失われていく。

これらは〝スイッチング・コスト〟と呼ばれている。たとえば、ミシガン大学の研究者がおこなった研究によると、知的な活動の成績は、被験者がひとつの課題を達成しないうちに次の課題にスイッチする行動をとった場合、三〇パーセントから四〇パーセント低下するという。

このようにスイッチング・コストによって時間とエネルギーが失われるために、マルチタスクの取り組みを避けたいと思うようになる。※10 これがポモドーロ・テクニックの不思議な側面だ。

つまり、この側面のおかげで、マルチタスクに誘い込む邪魔ものに煩わされることなく、〝ひとつ〟の課題に集中できるのだ。

気が散ることのない環境を整えよう

マルチタスクの取り組みを避ける一連の作業では、気が散るものとは無縁か最小限になっている、そんな学習に適した場所を見つけたくなるものだ。学習のスペシャリストは、友人や仲間が集まる部屋、たとえば大学の学生寮の部屋、あるいは学生や社員用のカフェテリアでの学習は避けるべきと言っている。気が散るものがあまりにも多いからだ。

理想的なのは、静かな図書館や喧騒とは無縁の場所だ。もし、

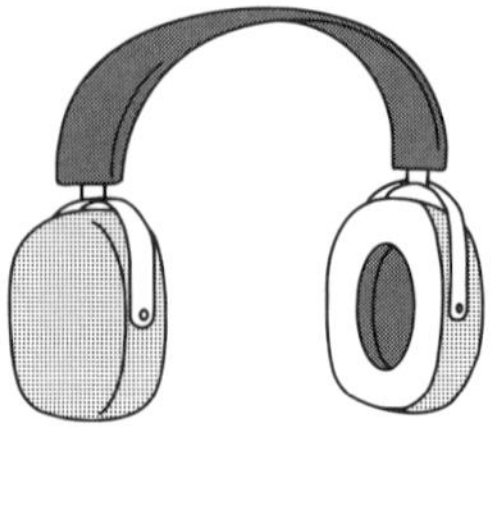

耳当ては、身の回りにあるものの中で、集中を維持するための最高のツールのひとつだ。ほかのもっと小さなノイズキャンセリングの耳当てよりも、31デシベルペルターイヤーマフがお薦めだ（大きいけれども、実際に赤ん坊の泣き声もキャンセルしてくれる）。

うるさい環境での学習を強いられるなら、**耳栓、耳当てあるいはノイズキャンセリングヘッドフォンに限る。**周囲の人たちに〝邪魔をするな〟というサインを送ってくれるからだ。

気が散る最悪のものに、コンピューターや携帯電話が出してくる通知もある。というのも、人はその通知をどうしてもチェックしようという気になるからだ。ある研究によれば、人は、メッセージ受信用アプリケーションを走らせたままにしている場合、平均で三五秒ごとにメッセージをチェックするという。※11

反面、あるビジネスパーソンについて、次のような好ましい報告もある。自分のアクセスしているどうでもよいウェブサイトが一週間にわたってブロックされたとき、仕事により深く没頭するようになり、生産性が向上したという。※12

だから、**持っている機器の通知設定を外して、音、視覚そして振動による警告を無**

人気のウェブサイトブロッカー
Freedom
FocalFilter (Windows)
SelfControl (Mac)
StayFocusd (Chrome)

効にしよう。遮断モードが役に立つかもしれない。ポモドーロ・テクニックを使って、インターネットをはじめとして気が散る類のものを遠ざける、あるいはウェブサイトのブロック機能をインストールする。

気が散るものから逃げるのが難しいそんな現代のメディア社会時代に生きているのかと嘆く必要はない。時代を遡って一八〇〇年代の半ばでも、こんな伝説がある。『レ・ミゼラブル』や『ノートルダムの鐘』の作者、小説家のヴィクトル・ユーゴーは自分の召使に命じて、ペンと紙以外には何もない書斎に自分自身を缶詰にさせた。とかく気が散るものを遮断してしまうためだった（その著作が短くなっていたかもしれないと思う人もいるだろう）。

気を散らすものはいつでも周囲に存在している。われわれ自身の最高の方法を編み出して、そうした気が散るものと格闘することこそわれわれのすべきことだ。

人口の約二・五パーセントは、自分の意識をスイッチして、互いに異なる複雑な活動に同時に振り向ける能力がある。読者にはまずそのような人はいないだろう。大半の頭脳は、そのような働きができるようにはなっていない。

頻繁に小休止をとろう

ポモドーロにある頭を休ませる部分が極めて重要であることをここまで述べてきた。集中している時間が長くなりすぎると、学習したての新しい内容を脳が長期記憶の領域に移すための時間がなくなってしまう。※13 学習の効率は落ちる一方だ。おまけに、脳の特定の領域は、長い時間にわたって働かされると、くたびれてしまう。いまだに研究者にはその理由はわからない。しかし、運動によって筋肉が疲労するように、脳も働かされることによって疲労がたまる、いわゆる〝精神的消耗〟だ。※14

完全な精神的解放感が得られる短い時間（五分から一〇分）の休憩、つまり、インターネット、電子メール、読書などあらゆることから隔離された休憩は、学習したばかりの内容を深く強く刻み込むのに最適だ。なぜなら、新たな情報をなんの邪魔も入らずに吸収できるからだ。※15 だから、ちょっとうたた寝したいとか、何もしないでいたいと考えても、それで怠けていることにはならないということだ。それどころか、それによって効率は上がっているのだ。※16

休憩のとき身体を動かす、たとえば散歩やジョギングをする、お茶を入れるために立ち上がるといったことをするのは、まさに妙案だ。動き回る休憩がとても大切な理由には、たんに、そのあいだはあまり深く考えないということもあるだろう。もうひとつの理由は、身体を動かすこと自体が、学習の過程で役に立つということだ。これについては改めて述べる。

COLUMN

コラム

大学では一日何時間学習すべきか？

大学生には、週日は毎日二時間から八時間（講義の時間とは別に）学習することを勧める。その時間の長さは、本人の意欲と学習プログラムの厳しさしだいだ。

模範的な学習時間は、成績がAの医学生が教えてくれている。一般的には、講義に出席する時間よりもはるかに長く、学生は毎日、平均で六時間から八時間学習するのが一般的だ。

八時間以上学習しても成績がそれ以上向上するわけではない。成績がBとじの医学生の学習時間は三時間から五時間といったところだろう。※17 平均的な工学部の学生は一日に三時間学習する。

一方、社会科学や経営学の学生は日に平均二時間だ※18（バーバラ自身は、平均よりもやや負荷の軽いコースに取り組んでいたとはいうものの、専攻した工学を日に六時間から八時間学習していた。そのおかげでAの成績がとれた）。

学習中に聞く音楽あるいはバイノーラルビートとは何か？

音楽によって、学習速度を落としてしまう学生がほとんどだ。それが顕著なのは数学だ。※19 音楽を聴きながら学習していると気分爽快で、もっと長い時間学習できると感じるかもしれない。しかし、音楽を聴いているあいだは、意識の一部がその旋律を追いかけてしまうおかげで、集中力を限界まで発揮していない。そればかりか、音楽によってマルチタスクをしてしまうことになる。具体的には、学習に取り組むことと音楽のプレイリストをいじくる作業とのスイッチを繰り返す。

もし今、学習中の課題でよい成績をおさめている人の場合なら、音楽を聴きながらでもかまわないだろう。しかし、もし成績が思うようになっていないなら、あるいは、修得に苦労しているなら、音楽とは手を切るほうがよいだろう。

〝バイノーラルビート〟という音楽にまつわる次のような現象がある。ステレオヘッドフォンをかけることによって、ほんの少しだけ周波数の違った音、たとえば三〇〇ヘルツと三二〇ヘルツの音を、それぞれ右と左の耳に聞かせることができる。驚くべきことに、耳に聞こえてくるのはもとの二種類の音だけではなく、同時に両方の差分となる第三の周波数の音も耳に入るのだ。ここにあげた例の場合、その差分は二〇ヘルツとなり、これを〝ビート〟周波数と呼んでいる。

研究者は、脳はどのようにして音を認識するかを探求しているときにバイノーラルビートの存在に気が付いた。[※20] 一九七〇年代に入ると、人々は、ある意識の中のさまざまな変化を探り始めた。その変化とは、バイノーラルビートがその周波数に伴って脳の活動を変化させるあるいは同調させるときに見られるものだった。

現在、バイノーラルビートを使っているのは、たいていの場合、多種多様なオンラインの配信元からオーディオの素材を日常的にダウンロードしている人たちだ。彼らの目的は、集中したり、記憶したり、あるいはリラックス、あるいは瞑想することだ。そのビートは、穏やかで抑揚のない音で構成されているため、たいていは音楽やピンクノイズの中に埋め込まれてしまっている。

バイノーラルビートを聴きながらの学習を探求してもよいだろう。しかし、明らかになっているその好ましい効用はと言えば、少なくとも基礎的な研究段階では、それほど大したものでないことを押さえておこう。※21 そのうたい文句とは裏腹に、バイノーラルビートのオンラインの配信元は法律的に疑問のある場合もある。

要するに、研究が示唆しているのは、バイノーラルビートの集中力に与える効果は、それが埋め込まれているかもしれない音楽の効果によって帳消しになる可能性があるということだ。

瞑想とヨガ

瞑想は集中力を高める方法として推奨されてきた。全般的には、瞑想にはよく知られた二種類のタイプがある。つまりマントラ瞑想といった集中力のタイプ、そしてマインドフルネスといったオープンモニタリングのタイプの二種類だ。

マントラタイプの瞑想のほうが集中力の向上を目指した、より直接的な実践をさせてくれるかもしれない。ただし、一般的に、その効果がわかるようになるまでには何週間あるいは何か月もかかる。

オープンモニタリングのタイプの瞑想は、気分を高めることによって、認識をするための間接的な力になるかもしれない。難題のひとつは、瞑想に関する過去の研究の

多くは、適切な科学的手順に則っていないことだ。もっと研究が必要だ。※22

ヨガには認識活動に与える好ましい効果があり、拡散モードへのつながりを促進させるかもしれないという、いくつかの未確定の示唆も存在する。※23 しかし、そのヨガの効果に関する研究は、瞑想よりもさらに未確定な段階であるため、確定的な結論を導き出すのは困難だ。

＊　＊　＊

この第一章で、われわれは学習している対象に集中する方法を紹介してきた。しかし、時には集中するだけでは十分でないこともある。行き詰まったときはどうするか？　ということで、先に進もう。

第一章のまとめ

どこまでも集中し、そして怠けぐせに打ち勝つには

ポモドーロ・テクニックは怠けぐせに打ち勝つためのもっとも強力な方法だ。そのためには、

・気が散ることを排除しよう
・タイマーを二五分に設定しよう
・その二五分間、できるかぎり徹底的に集中しよう
・自分自身に与える褒美を用意しよう。五分前後、頭を休める時間をつくろう。（必

要なら休憩専用のタイマーを用意する）

・仕事が終わるまで、あるいは〝自分が〟もう十分だと思うまで、ポモドーロを続けよう

バイノーラルビートを聴くには、https://en.wikipedia.org/wiki/Beat_(acoustics)にあるサンプルの音をチェックしよう。

頭の中の痛みがきっかけで、怠けの虫に襲われることがある。 何か気が進まないもののことを考えたときに生まれる不愉快な感情を意識しよう。そうした感情がもとで、怠けの虫が襲ってくる。その頭の中の痛みはひとたび集中し始めると、消えてなくなるのだ。

マルチタスクはやめよう！ 課題のスイッチを繰り返すと、〝スイッチング・コスト〟を背負い込む。スイッチの頻度が下がるほど、負担するコストも下がって、学習

の効率が上がっていく。**経験的には、少なくとも二五分間続けてから、別の対象にスイッチするのがよい方法だ**。そして、できることなら、スイッチするまでに、少なくとも一時間あるいは二時間（休憩時間を含めて）は作業を続けよう。

気が散るものとは無縁の環境を用意しよう。持っている機器の通知設定を完全に無効化して、音、画面そして振動による警告が出ないようにしよう。携帯電話を手の届かないところに置こう。

頻繁に小休止をとろう。もしある課題にかける時間が長くなりすぎると、間違いなく疲労に襲われる。

学習しているときに音楽を聴きたいなら、必ず、それによって自分の意識が散漫にならないようにしよう。教材の学習が順調にいっているのでない限り、学習しているときのながら音楽の是非をよくよく考えよう。

第二章

行き詰まりを克服するには

オラフはかつて、高い木のてっぺんにドローンを突っ込ませ、動かなくしてしまったことがある。葉の生い茂った枝に絡みついてしまい、ほどけない。木はあまりにも高すぎて梯子が届かず、石を投げるのも無理。木登りもできそうにない。ドローンが細い枝という枝の間に埋もれてしまっている。オラフもドローンと同じように、抜き差しならない孤立無援状態だ。どうすればいいのか？　そこでオラフは〝何もしない〟ことに決めた。かえってそのおかげで、ドローンを無事に下ろすことができた。どのようにして？　その話は、しばらく置いておくことにする。

学習しているときに行き詰まってしまいイライラする経験は誰にでもある。真っ白なページを前に、エッセイを書きたくても一行も思い浮かばない、あるいは、コンピューターのプログラミングの新しい手法で途方に暮れてしまう。そんな類の経験だ。

しかし、頭がどんな働き方をするのかについて多少でも知識があれば、こうしたイライラを感じないで、学習の進度を上げられるのだ。

集中モードと拡散モードを活用して大小両方の問題を解決しよう

脳には、思考と学習について完全に異なった二種類のモードがある。一つ目は〝**集中モード**〟と呼ばれている。このモードについては、すでに最初の章で紹介した。つまり、読んで字の如しで、何かに集中しているとき、その人は集中モードになっている、ということだ。たとえば、物理の問題についての解説に集中する、あるいは新しい語彙を熱心に覚える、といったことがそれだ。

二つ目のモードは、〝**拡散モード**〟と呼ばれている。このモードも思考と学習の両方にとって大切だ。※1 拡散モードに入っているあいだ、頭の中ではさまざまな考え

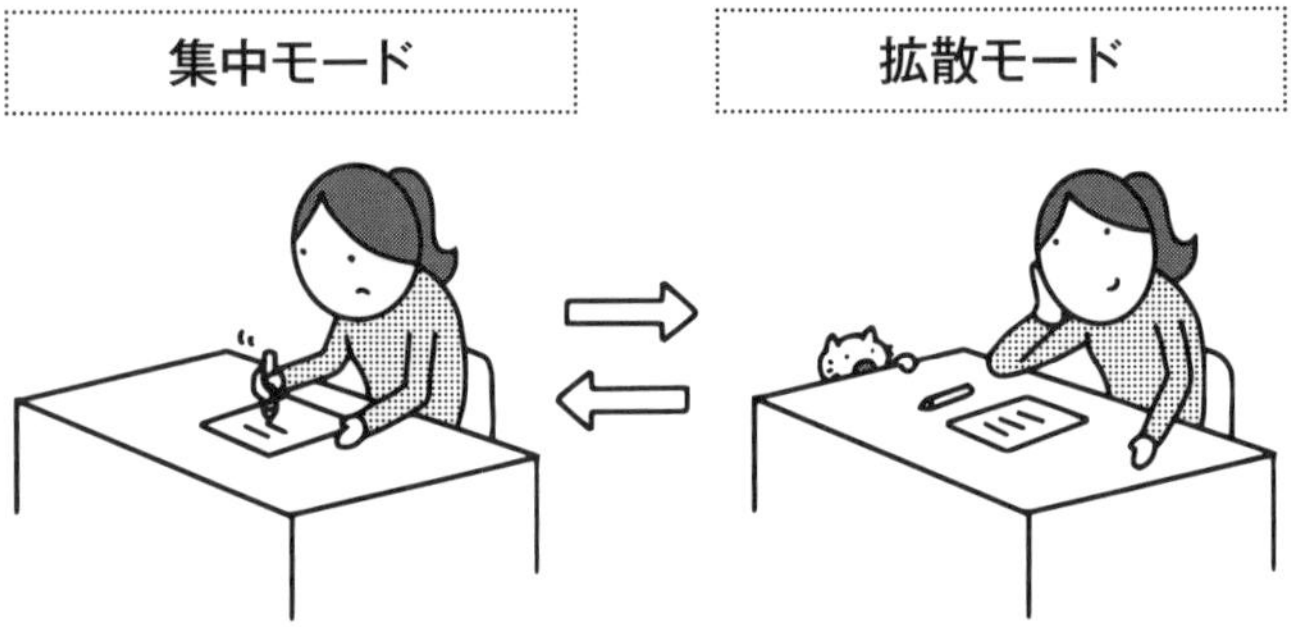

学習しているときには、集中モード（左）と拡散モード（右）との間を行ったり来たりしている。

が漂っている。とはいっても、何か特定のことに集中しているわけではない。たとえば、頭が拡散モードに入っているのは、シャワーを浴びているとき、バスに乗っているとき、散歩に出かけるとき、また眠りにつこうとしているときに、とりとめなくさまざまな考えが浮かんでくる、そんなときだ。

このモードに入っているとき、脳は集中モードには望めない方法で、互いに違った考えやアイデアなどを結びつけられる。このおかげで、散歩をしているときやシャワーを浴びているときにアイデアを思いついたり斬新な洞察を得たりできるのだ。

新しいことや難しいことを学習するとは、集中モードと拡散モードとの間を往復すること

学習している内容が比較的単純で、すでにものにしたアイデアと関連があるような場合には、集中モードだけでこと足りる。たとえば、14＋32といった単純な足し算の問題を解いている人は、集中モードに入っている。

しかし、新しいことや難しいことを学習しようとするとどうなるか？　心臓の血液循環のポンプの仕組みや導関数の数学的概念を理解しようとする、あるいはスケボー

のダブルキックフリップのこなし方を理解しようとする場合、これでもかと集中の度合いを高めていくものだ。それでもなかなかものにできない。

奇妙なことに、頭を休める時間をつくると、それが数時間でも一晩でもその時間の長さがどれほどであっても、しばしば不思議なことが起こる。これが拡散モードの魔法だ。取り組んでいた課題に改めて集中し直すと、〝なんだ、そういうことか〟という洞察が得られるものだ。このおかげで、それまで悩まされていた課題への取り組みに道が開ける。

集中モードと拡散モードについての比喩を使って、両者の違いをもっとよく理解してみよう。

自分の頭脳は、学習したさまざまな概念や手法の通路で埋め尽くされた迷路のようなものだと考えてみよう。集中モードに入っているとき、思考はそれらのすでに敷かれている通路に沿って動いている。[※2] その通路の一部が、図に描かれている。

掛け算の問題を解いているというような、なじみのある問題に集中しているとき、使っているのは、その迷路の一部に整備ずみの通路だ。

一方、すでに修得した別の言語で、動詞活用するという課題に集中するときは、その迷路の違った部分に用意しておいた通路を使う。

しかし、まったく新しい問題を解く場合、つまり通路がまったく存在しない場合には、そのために役に立つ通路が一本もないため、集中モードにとってはつらいものになる可能性がある。

そうすると、拡散モードとは何か？　それは迷路の上をすばやくビュンビュン飛び回れる小さなドローンの編隊だと想像するのが一番わかりやすい。ドローンは迷路の

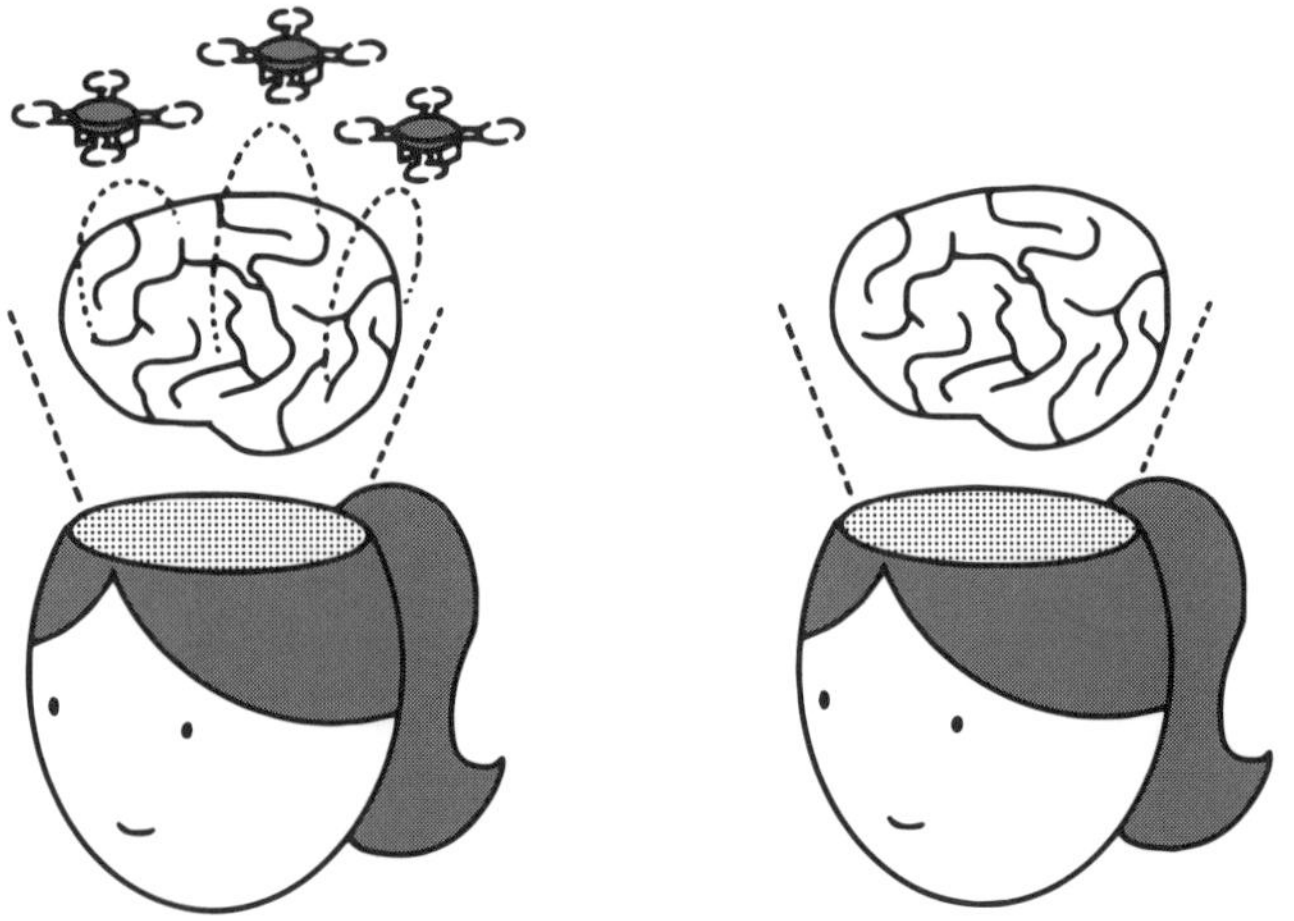

この迷路を模した脳のイラストで、集中モードと拡散モードで脳がどのように働くのか、比喩的に感じ取れるだろう。集中モードになるのは、すでに知っているテーマに関連した既存の通路に集中しているときだ。迷路の上を飛んでいる小さなドローンの航跡が、拡散モードだ。

上を飛べる。

新しいことや難しいことを学習しているときはいつも、この拡散モードを使っているのだ。拡散モードのおかげで、能力と理解力の新たな神経系の通路の端緒をつくり出せる。

拡散モードが働いているとき、それに気づかないときもある。しかし、突然それまでに苦しんでいたものが理解できると、そこで〝アハ〟（ああそうか）の瞬間を認識するのだ。それはたとえば、データ分析で難問の解き方が突然わかっ

キーポイント

ある特定のテーマに集中している限り、
自分自身がそのテーマに関わろうとする拡散モードの働きを
“妨げて”いる。拡散モードに出番が回ってくるのは、
そのテーマに対する集中を完全に“やめた”ときだけだ。
しかし、まずは懸命に学習することに集中しなければならない。
そうすれば次に、拡散モードが
その魔法をかけられるようになる。

たとき、ギターで難しい旋律が弾きこなせたとき、また、新たなマーケティングの手法がひらめいたときのように。〝ああそうか〟と感じるのは、頭にある小さなドローンが突然、斬新な結びつきを生み出したときだ。それまで複雑怪奇でさっぱりわからないと思われていたものが、突然理解できる。

拡散モードのおかげで新しい洞察が得られると、今度は集中モードがその新たなアイデアを組み上げ強化してくれる。これが、学習とは**集中モードと拡散モードとの間を往復する作業**だという理由だ。集中すると、つまりある対象に真剣に取り組むと、そのうちに悪戦苦闘が始まる。そこでひと休みすると、その背後で拡散モードがそのアイデアを相手に働い

てくれる。

そしてもう一度集中する作業に戻ると、その前よりもわかるようになる。モード間の往復に伴って、学習効果が上がっていく。

拡散モードに入るには

あるテーマを相手にして、拡散モードに入るためには、少しの間、あるいは行き詰まって集中を〝やめる〟瞬間まで、そのテーマに真剣に集中しなければならない。

そしてそのあと拡散モードに入るためには、歯を磨いたり、皿を洗ったり、衣服にアイロンがけをしたり、あるいは、すでに述べたように、散歩する、バスに乗る、シャワーを浴びる、横になって目を閉じているといった、頭を使わなくてもよい単純

拡散モードの活用法の例
夕食の前に、難しいエッセイにとりかかる。 そうすると、夕食をとっている間、 拡散モードがその裏側で働ける。
ひと休みする前に、難しい問題に手を付ける。
夜寝る前に難しい文章を読む。
シャワーを浴びる前に、特にややこしい、 重要な問題の答えを考え直す。
買い物に出かける直前に語彙集をおさらいする。

な行動をするのが一番だ。こうした行動には、少しは集中力が必要かもしれない（歩いていて壁にぶつかりたくはない）が、それでもほんの少しで十分だ。頭は気ままにリラックスさせてやろう。

集中力が切れたときは、自然に拡散モードに入っていく。拡散モードが続く時間の長さはさまざまだ。たとえば、まばたきしているときは、ほんの一瞬だけ拡散モードに入っている。ただし、あいにく、この時間は短すぎて、脳は十分に力を発揮できない。数分間空想にふけっているときは、拡散モードだ。拡散モードの状態で、何時間でも散歩できる。

その日一日を過ごす間に、集中と拡散のふたつのモードの間を自然にスイッチしているのだ。

ここで明らかなのは、集中モードから抜け出して拡散モードに入る行動は、必ずしも時間の浪費ではない、ということだろう。学習という話になれば、拡散モードは学習する人の戦略的な武器なのだ。この拡散モードを賢く使いこなせば、貴重な解答や洞察を与えてくれる。つまりこのモードは創造力との強力な結びつきがあるのだ。※3

奇妙なことに、〝ひとつ〟のテーマについて集中モードに入りながらも同時に〝また別の〟テーマでは拡散モードにも入れる。これによって、もうひとつの強力な学習ツールが手に入る。——〝ハードスタート〟テクニックだ。

キーポイント

テストを受けているにしても、宿題をしているにしても、
ある問題を脇に置いておく潮時を学習することも、
それに執着するのと同じように重要だ。学生の場合には、
簡単に解ける問題があるのを横目に、難しいほうの問題で
行き詰まったままで無駄な努力をしてしまい、
試験の点数を下げてしまうことがよくあるのだ。

宿題とテストのための〝ハードスタート〟

〝ハードスタート〟のテクニックでは、難しい宿題やテストの問題に答えを出そうとしているとき、拡散モードが役に立つ。このテクニックは、簡単だ。

一．試験や宿題の問題をざっと眺めて、とくに難しそうな問題に小さくチェックマークをつける。

二．一番難しい問題から手を付ける。おそらく数分で行き詰まるだろう。

三. 行き詰まっていると感じたら、もっと簡単な問題に移る。
四. 簡単な問題をいくつかこなし終わったあとで、その難しい問題に戻る。

簡単な問題をこなしてから、難しい問題に戻ると、以前よりも先に進めることに驚く、というのもよくある話だ。こうなるのは、簡単な問題に集中している間、拡散モードには、その裏側で難しい問題と格闘する能力があるからだ。※4

これとは反対に、試験や学習の時間切れ寸前まで一番難しい問題に手を付けずにいると、頭が疲れてしまいベストを尽くせなくなることがある。

さらに悪いことには、試験の時間切れ寸前で一番難しい問題に取り組もうとすると、拡散モードに裏側で働いてもらう時間がなくなってしまうのだ。

注意しておきたいのは、このテクニックが役に立つのは、すでに与えられた課題や試験のための学習をすでにしているときに限る、ということだ。つまり、拡散用のドローンには、相当な量の既存の知識や情報が、それらをつなげるために欠かせない。

ハードスタートはまた、エッセイの課題に対してもうまく機能してくれる。構成や流れの草案を考えるところから始めよう。ただし、実際に書く作業はしない。そしてそのあとで、また別のいくつかの課題に移る。こうして拡散モードが裏側で働いてくれる時間をつくったあと、元のエッセイの課題に戻ろう。

最初の草案を書くとき拡散モードを使おう

レポートやエッセイを書くうえで最大の悩みのひとつは、手始めにおおざっぱな草案を仕上げることだ。というのは、人は、エッセイやレポートを書いているとき、一行一行文を思いつくたびに推敲しようとしてしまう。時には、頭の中で温めている文章を、紙の上ではどんな感じに見えるのかを確かめないうちに、捨ててしまうことが

Write or Die（書くまであきらめるな）

書くときに役立つアプリケーションに、
ウィック卜博士がつくったWrite or Dieがある。
このアプリケーションを使えば、
単位時間あたりに書きたい字数を設定できる。
すると、途中で書く手が止まったときに割り込んできて、
音や視覚などで刺激してくれる、そんな選択肢を
色々選べるようになっている。なんと“神風モード”まで
用意されていて、あまりにもぐずぐずしていると、
書いたものを削除してしまう。不思議と、この
アプリケーションによって書くことそのものが楽しくなる。

ある。

このように自分の作業にケチをつけるのは、例えて言えば、一歩歩くたびに、立ち止まって靴の紐を結び直すようなものだ。これではなかなかどこにもたどり着けない。

問題は、集中モードの働き（推敲すること）を、拡散モードの働き（書くこと）とないまぜにしていることにある。この混同を避けるためには、パソコンの画面を隠すか、電源を切ったままで、書き始めればよい。最初のうちこのテクニックは奇異に思えても、すぐに、推敲せずに紙の上に言葉

を並べていくリズムに慣れるだろう。

これによって、手始めの草案を仕上げる速度をずっと速くできる。要するに、最初の草案のポイントは、頭にある文を紙の上に書き出すことにある。そのとき、どれほどよくないと思っても気にしない。あとで推敲すればいいことだ。

書くという作業を拡散モード（推敲は一切禁止）と集中モード（推敲）とに分けることによって、その書く作業をもっと速くできる。

人気の“環境”騒音アプリケーションとウェブサイト
Coffitivity
Simply Noise
Noisli
my Noise.net

拡散モードを活性化するためコーヒーショップに行こう

語彙や解剖学用語をおぼえる場合のように、真剣に記憶に励むときは、静かな環境のもとで学習すると効果が上がるはずだ。

しかし、もっと難しい概念を学習しているとき、たとえば、歴史における潮流、橋梁の建設、難しい解析の概念の修得などでは、時折集中を途切れさせ、拡散モードを呼び起こしてくれる、そんな環境で学習するほうがよい。そうすると、新たな視野を広げられる。※5

周囲のざわざわした話声やカップを置く音が時折聞こえるようなコーヒーショップなら、拡散モードに入るきっかけが何度でもある。そうしたコーヒーショップの環境音を出してくれるアプリケーションまである。

どのようにしてオラフはドローンを木から降ろしたか

さて、本章の冒頭で述べたオラフはどのようにして木に捕まったドローンを回収したのだろうか？

オラフは、木からドローンを引き降ろす方法を考えることに集中するのをやめた。これによって、拡散モードが働くきっかけをつくったのだ。すると突然閃いたのが、矢に釣り糸を付けるというアイデアだった。そこでドローンがひっかかっている枝を狙って矢を放った。釣り糸を引っ張り、ドローンに絡まっている枝をゆすり続けているうちに、ドローンが落ちてきた。

＊　＊　＊

この第二章で、われわれは脳の集中と脳の弛緩とを組み合わせて、難しい問題をもっと簡単に解ける方法を探ってきた。次の第三章では、情報を長期記憶の領域へと定着させるための最高のテクニックを発見するために、もっと脳の奥深く入り込んでみよう。

第二章のまとめ

行き詰まりを克服するには

・集中モードによって、なじみのある問題が楽にこなせる。あるいは、難しい対象を頭の中に入れ込むことによって、拡散モードが働き始められるようになる。

・拡散モードによって、何を学習していても新たにぶつかる難題を理解できるようになる。たとえば、新しい会計学の概念に対する理解であっても、やっかいな検索エンジンの最大効率化問題への取り組みであっても、風の強いコンディションでのゴルフのパッティングの仕方を考えることであっても、同じことだ。

・学習するとは、集中モードと拡散モードとの間を往復するということでもある。何か難しいことを学習するときに、行き詰まるという話はどこにでもある。その行き詰まりはつまり、集中モードから拡散モードへと移るべきときになっていることを知らせているのだ。ひと休みするか、あるいは、別のことに手を付けて、その裏側で脳が働き続けるようにしよう。

・〝ハードスタート〟テクニックを使おう。これは、試験か宿題で、〝もっとも難しい〟問題から始めるという意味だ。行き詰まったときはその難しい問題を脇に置いて別の問題に移り、しばらくしてから、またその難題に戻ろう。

・レポートかエッセイの手始めの草案を書いているときに、推敲をするのは禁物だ。推敲を我慢するよい方法は、パソコンの画面を隠すか電源を切るかして、自分が実際に何を書いているのか見えないようにすることだ。

第三章

より深く学習するには

大切な試験に備えて、ノートを読み返し、さまざまな概念を復習し、要点を再確認するなどして必死に学習しているのに、それでも試験で難儀している、という経験はないだろうか？

脳がどのようにして学習するのかを理解することが、試験でよい成績をおさめるための近道だ。また、その理解はいつまでも忘れない知識やスキルを構築することにも役立つ。しかし、学習は何も努力しないでうまくいくものではない。運動と睡眠によって、脳は自分の学んでいることをたやすく吸収できるようになる。この章ではそんなアイデアをまとめて紹介する。それでは始めよう。

学習すると、輪が生まれる

何かを学習しているときには常に、〝ニューロン〟、つまり基本的な〝構成要素〟の細胞を結合させる作業がおこなわれている。頭の中にはおよそ八六〇億のニューロンがある。その数は十分にあるから、学習するための能力が枯渇してしまう心配はしなくてよい。

二つのニューロンをつないでいる連接点をシナプスと呼んでいる。人が腕を伸ばして隣の人の足の指に触れるように、一本のニューロンの〝腕〟（軸索）が隣のニューロンの〝足指〟（樹状突起の先端）にまで伸ばされる。

新しい知識が頭の中でしっかりと定着するのは、長期記憶の領域の中で、ニューロンの小さなグループ相互に新しい連鎖をつくり出すからだ。学習している対象が、たとえば、新しいダンスステップ、ラテン語、あるいは新しい数学の概念などなんで

**脳の構成要素
ニューロン**

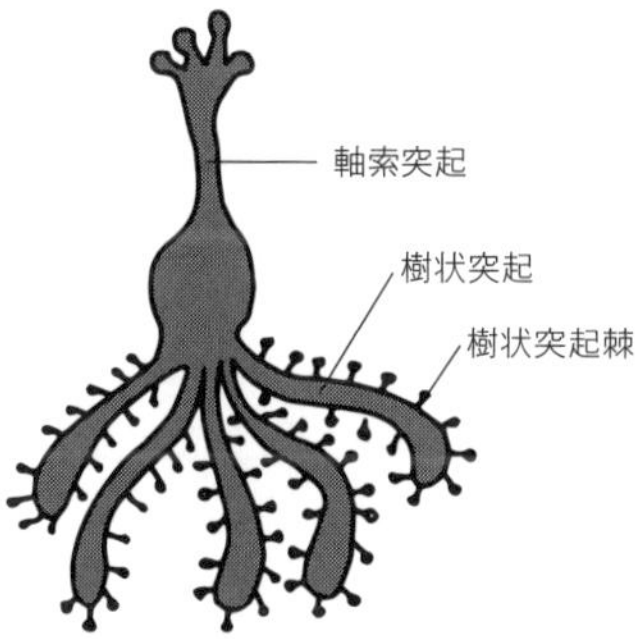

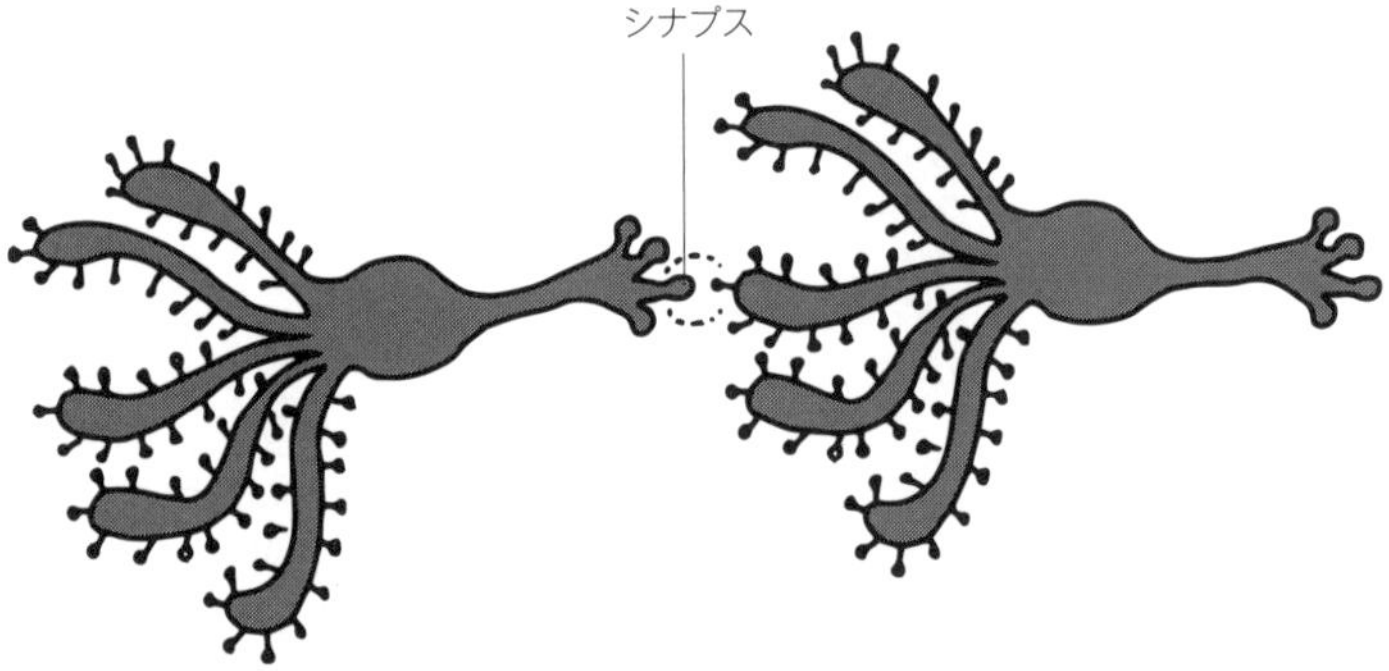

何かを学習しているとき、ニューロンの“軸索”（1本の腕）がもう1本のニューロンの“先端”（足指）に向かってすり寄っていく、そうしたニューロン間の鎖ができる。その接合点をシナプスと呼んでいる。

あっても、この事実は当てはまる。

すでに学習した内容、たとえば、4×25といった掛け算や〝家〟を意味するスペイン語の単語、〝凝縮〟の意味などといった問題の解き方を考えるときには、さまざまな信号が、すでにつくられているシナプスを介してニューロンの間を行き来する。

十分に学習しておくと、問題を楽に考えられる。というのも、ニューロン間をしっかり結合している通路が、長期記憶の中にできあがっているからだ。ニューロンの結合が多くそして強力であればあるほど、学習の成果は上がる。

簡単なことを学習するときに生み出される連

鎖は短い。この連鎖は学習がだんだん込み入ってくるにしたがって長くなり、そして同時にほかのつながりと一層絡み合うようになる。

だから、ギターのコードを弾く練習をしているときなど、ほんのちょっとした学習は、ささやかな連鎖をつくる作業なのだと考えてよい。これに対して、歌一曲を演奏する練習をするときには、それよりはるかに大きな連鎖を生み出すことになる。

もうひとつ例を挙げてみよう。〝比喩〟という言葉の定義を学習するときできるのは、小さな連鎖だ。しかし、比喩について新しい例に出会うたびに、その定義にまつわる連鎖が強まり、同時にさらに広い範囲での連鎖の結合も生み出される。

どんな課題、スキルあるいは修養にとっても、多様な状況の下での練習を通して生み出される〝完成された〟連鎖を獲得す

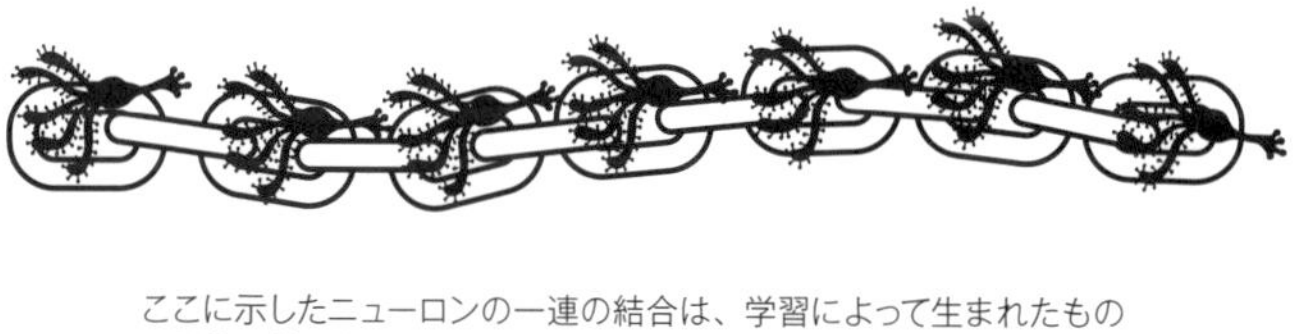

ここに示したニューロンの一連の結合は、学習によって生まれたもので長期記憶の領域に蓄積されている。こうしたニューロンの結合のおかげで、数々の連鎖（ニューロンの背後にある）を思い起せるのだ。

練習を積めば積むほど、ニューロンの結合は太くて強くなる。より複雑な情報を上手に学習することによっても、“より長い”連鎖が生まれる。
イラストの一番上の3つの輪が示しているように、わずかな情報の断片には、短い連鎖だけしかない。これに対して、もっと複雑な情報のほうが、はるかに長い連鎖をつくり出す。また、さらに学習が進むほど、異なる概念間の結合や違いについてもわかるようになる。この様子は、主要な“概念”の輪とつながっているゆるい連鎖を見ればわかる。理解や練習を通して連鎖や結合の連鎖の数が増えるほど、専門家へと成長する。もちろん、現実の生活では、学習によって、ここに示しているよりもはるかに多くのニューロンや輪が生み出される。

ることが、非常に貴重になることがある。たとえば、もし広範で豊かな連鎖を生み出せれば、数学の問題を種々の文脈の中で解くのがずっと簡単になると気づくはずだ。

あるいは、新しい言語で考えを述べる、目にしたものをなんでも絵に描く、自分の要求どおりに動くアルゴリズムを簡単に書き上げる、といったこともできるのだ。

自ら〝積極的に〟学習しよう、ぼんやりではなく

学習しているときは、自分の頭を叱咤激励しながら〝積極的に〟学習することが大切だ。

問題の答えを見るのは禁物だ。反対に、自分の力で積極的に問題に取り組もう。あるいは、今見たばかりのビデオから、また、読んだばかりの本の一部から、要点を見極めるよう努めよう。※1

その知的活動の努力は、スパイン（樹状突起にある棘）を軸索のほうに引っ張り出すための力になり、ニューロンの強い輪を形成させられる。この結合させるプロセス

消極的な学習

積極的な学習

睡眠を伴った積極的な学習

何日間にもわたる積極的な学習
（毎晩睡眠をとる）

は、睡眠中もずっと続く。

　その一方、ぼんやりと聞いたり読んだりするといった〝消極的な学習〟には、とても効果があるとは言えない。そのときのニューロンは、今までになかった輪を形成する新たな結合を生み出さず、ただじっとしているだけだ（補足すれば、消極的な学習とは、非効率な集中モードのことだ。拡散モードと混同しないように）。

　また、**積極姿勢の学習によって、試験への不安を和らげてくれることを頭に置いておくことが大切だ。**※2

　図のように、対象を消極的に眺めていると

きには、新しいニューロンの結合を促すことにはつながらない。しかし、目の前の対象に積極的に取り組んでいるときには、右に示す三種のニューロンのように、新たに先端を成長させ軸索と結合するように仕向けていることになる。※3 この強化の続く新たな結合は、太い輪で示してある。

積極的な学習の核心には、〝回収活動〟と呼ばれるものが存在している。言い換えれば、それは、ただ目の前の対象を眺めているだけでなく、自分の記憶から情報を引き出せるなら、それを見たい、あるいは自分の頭でそれを活用したいという活動だ。〝回収する〟対象の数が多くなればなるほど、そしてその対象にまつわる一連の文脈を回収する範囲が広くなればなるほど、ニューロンの輪が強くなり、結合する範囲も広くなる。※4

奇妙なことに、情報を長期記憶の領域〝へと〟入れ込むための最良の方法は、ただ答えに注目するのではなく、長期記憶から情報を回収しようと努力することだ。

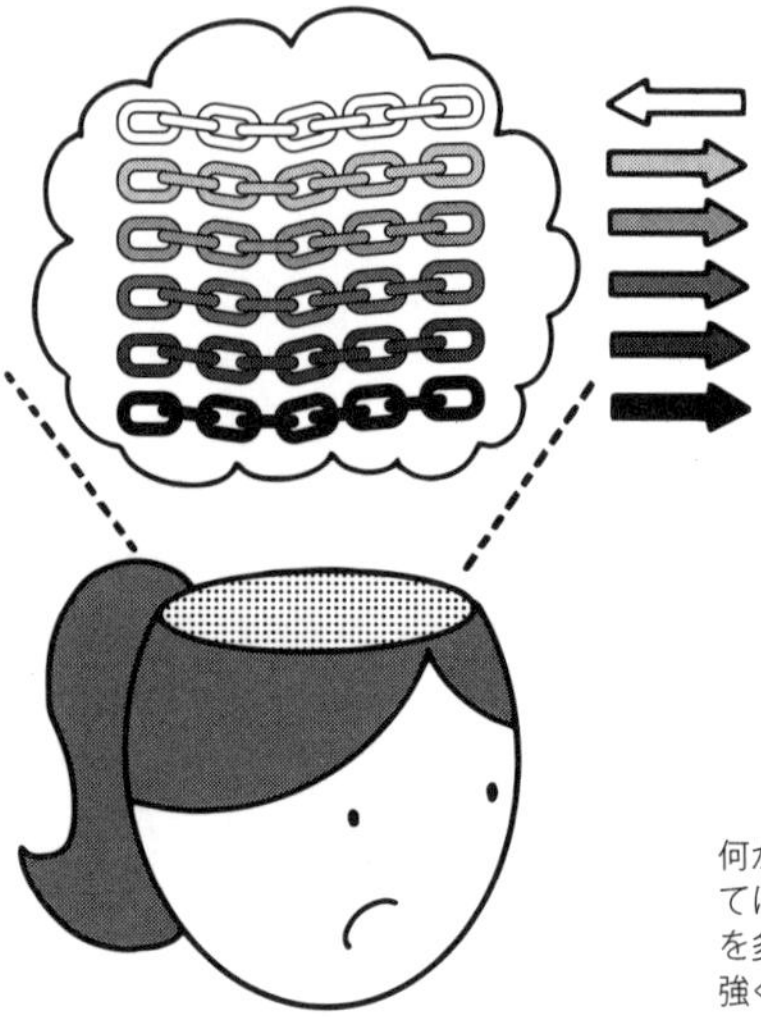

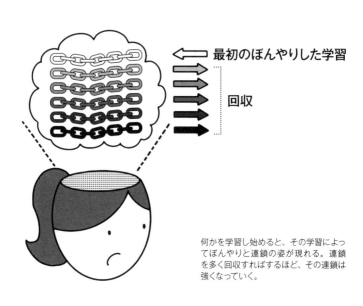

何かを学習し始めると、その学習によってぼんやりと連鎖の姿が現れる。連鎖を多く回収すればするほど、その連鎖は強くなっていく。

もうひとつ、回収の作業がとても重要だという理由がある。記憶から何かを回収しようとするときには、自分がよく理解していること（簡単に回収できる内容）と、もっと時間をかけて学習しなければならないこと（回収できないこと）との両方を知らせてくれるフィードバックがかかる。

しかもこのフィードバックによって、自分の時間を生産的に使ってきているか、また、学習の方法を変える必要があるかなどを評価できるようになるのだ。だから回収作業は、自分の学習そのものを評価するのに有効なメタ認知の戦略でもある。メタ認知がきわめて重要なことについてはメタ認知の戦略とともに、最後の章で議論することにしている。

積極的学習のための一般的なテクニック

ここで、積極姿勢で学習に取り組むのに役立ついくつかのテクニックを紹介しよう。

・答えを見ずに〝自分の力で〟例題に取り組もう（途中で盗み見をしなければならなくなったら、もう一度最初からやり直そう）。
・書籍や論文、新聞からキーポイントを一生懸命〝思い出して〟みよう。ちょっと立ち止まって、要点を思い出せるかどうか確認してみよう。今読んでいる内容が難しいなら、一ページ終わるたびに一生懸命思い出そうとするのが一番だ。
・目の前の題材について自分の疑問をまとめてみよう。
・試験の予行練習をしよう。望ましいのは、試験の実際の時間制限のもとで、時間を

人気のあるデジタルフラッシュカードのアプリケーション
Anki
Quizlet
GoConqr
StudyStack
Brainscape

強く意識しながら取り組むことだ。

・子どもを相手に説明しているかのように、ノートや教科書の要点を簡単なことばに変えて説明する方法を考えよう。

・ひとりでも小人数のグループでもよい、周りの人と協力し合おう。集まって題材を議論する、手短に意見を述べる、そしてさまざまな手法を比較してみよう。

・フラッシュカードをつくろう。手づくりでもよいし、AnkiやQuizletといったフラッシュカード用のアプリケーションを使ってもよい。

・自分の考えを大きな声でほかの人に説明しよう。あるいは、その要点を誰か別の人に教えよう。

・自分に問題を出すようパートナーに頼もう（友人の目の前で問題を出されることによるストレスには、実際の問題や試験から受けるストレスに慣れさせてくれる効果がある）。
・試験の予行練習をしよう。
・教官並みの知力がなくとも自分で予想問題をつくってみよう。
・皿を洗う、あるいは公園で犬を散歩させるといった日常的な活動をしているときに、キーポイントを思い出してみよう。

自分自身を鼓舞しよう、そうすれば進歩がもっと速くなる

何かの学習に取り組むと、没頭するのが快感になるものだ。そのあまりの気持ちよさで、勘違いしてしまうときもある。いつの間にか、目の前の対象の難しい部分に深く切り込まずに、関心がすでになじみのある簡単なことに移ってしまうのだ。

たとえば、修得するはずの新しい言語で、新しい言葉に取り組まずに、すでに学習した古い語彙の復習をしてしまう。また、データ分析で、難しい素材に進むことなく簡単な問題を解こうとしてしまう、あるいはまだものにしていない難しい一節に手を付けずに、よく知っている歌の一節を歌ってしまう、ということだ。

古くて簡単な内容を復習すれば、ニューロンの結合の消滅を防げると思う人がいるかもしれない。しかし、自分を追い込み、対象に一層深く踏み込んでいけば、すでに知っていることを足がかりにしながら成長していくことになる。

言い換えれば、新たな結合を形成しているときでも、古い結合を支えにして作業が続いているのだ。**だから、もし、いち早く学習の成果を積み上げたいのなら、長期記憶の領域の中で、新たな結合をつくり続けなければならない。すでに形成した結合を強化するだけでは不十分だ。つまり、毎日自分を追い込んで、より難しい対象に取り組み続けることが大切、ということだ。**※5

学習をもっと深めるには

難しい題材をうまくこなして学習するためには、データや定義、事実などをただ頭に入れるだけでは不十分だ。そこには深い理解が必要で、そのおかげでさまざまな未経験の状況下でもその題材を説明し、まとめ上げ、分析そして応用ができるようになる。

記憶するだけでこれができるわけではない(ただし、第五章で議論するように、〝なんらかの〟記憶が役に立つときもある)。学習している内容の理解を深めるためには、その内容と、それ以外の学習中の内容、あるいは既知の内容とを、積極的に結合させることが重要になる。ニューロンの連鎖は、できるだけ数多くほかの連鎖と結合させるべきだ。そうすれば学習の蜘蛛の巣状の網を形成できるのだ。

理解を深めるとは、ほかの輪とも結合させた長い輪を形成することだ。

推敲

自分の学習している内容を積極的に考えることによって、それを書いたり話したりする場合と同じように、連鎖を拡大できる。※6 これには自己説明あるいは推敲と呼ばれているテクニックが、役に立つかもしれない。このテクニックを使い、自分が学習している内容を自分自身の言葉で積極的に説明することに努める。

たとえば、計算問題に取り組んでい

るときには、ひとつのステップが終わるたびに立ち止まり「なぜ今このステップに取り組んでいるのか、説明できるか？」と自問し、そのあとがんばって答えを考え出そう。

ある実験では、論理的推論の問題を解いているときに、自分が取り組んでいるステップを説明した学生は、そのあとの試験で九〇点の成績をとったという。自分のステップを自分で説明しなかった学生の点数は二三点にすぎなかった。※7

自分が教材で読んでいる概念の場合には、自分が先生になったつもりで、それらを説明してみよう。自分が直前で読んだのとは違った言葉で説明しよう。

交互に実行する

連鎖を広げるためのもうひとつ重要なテクニックは、さまざまな対象を交互に学習することだ。交互にすることで、学習しているさまざまな概念が身につくだけでなく、

さまざまな対象を交互に学習することが、
適切な連鎖を選び出す練習になる。

概念間の違いを理解できるようになるのだ。※8

交互に実行するとは、異なる概念をあれこれ無作為に選ぶ、あるいはないまぜにするという意味だ。これは〝遮断された〟活動の反対語になる。

〝遮断された〟活動とは、あるひとつの概念だけに凝り固まったまま多くの活動に集中し続け、それを放棄して次の概念に移るときまで一貫してその状態が続くそんな活動のことだ。

たとえば、十人の画家それぞれの流儀を学習したいとしよう。腰をおろしてゆっくりと、まずは一人目の画家の絵画を何枚も眺めてみる。そして次に二人目の画家の絵画に目を移す、という具合に。

しかし、ひとつの独自にできあがったグループに属している個々の画家のことを学習したいという欲求に駆られたときには、何人もの異なる画家の描いた絵画にあれこれ無作為にあたるべきだ。たとえばマネの絵を見ると次にはファン・ゴッホ、そしてゴーギャン。この学習スタイルはでためのように思われるかもしれない。しかし、これによって、画家の流儀の違いがはっきりとわかる幸運に恵まれる機会がずっと多くなるのだ。そうなると、自らのパターン認識のスキルに磨きをかけるスピードがもっと上がっていくことになる。※9 最初に感じるイライラを乗り越えて学習しよう、そうすれば、いつの間にか自分の学習のスピードが非常に速くなっていることに気づくだろう。

スポーツの世界もこれに似ている。昔を振り返ってみると、コーチは、教えている

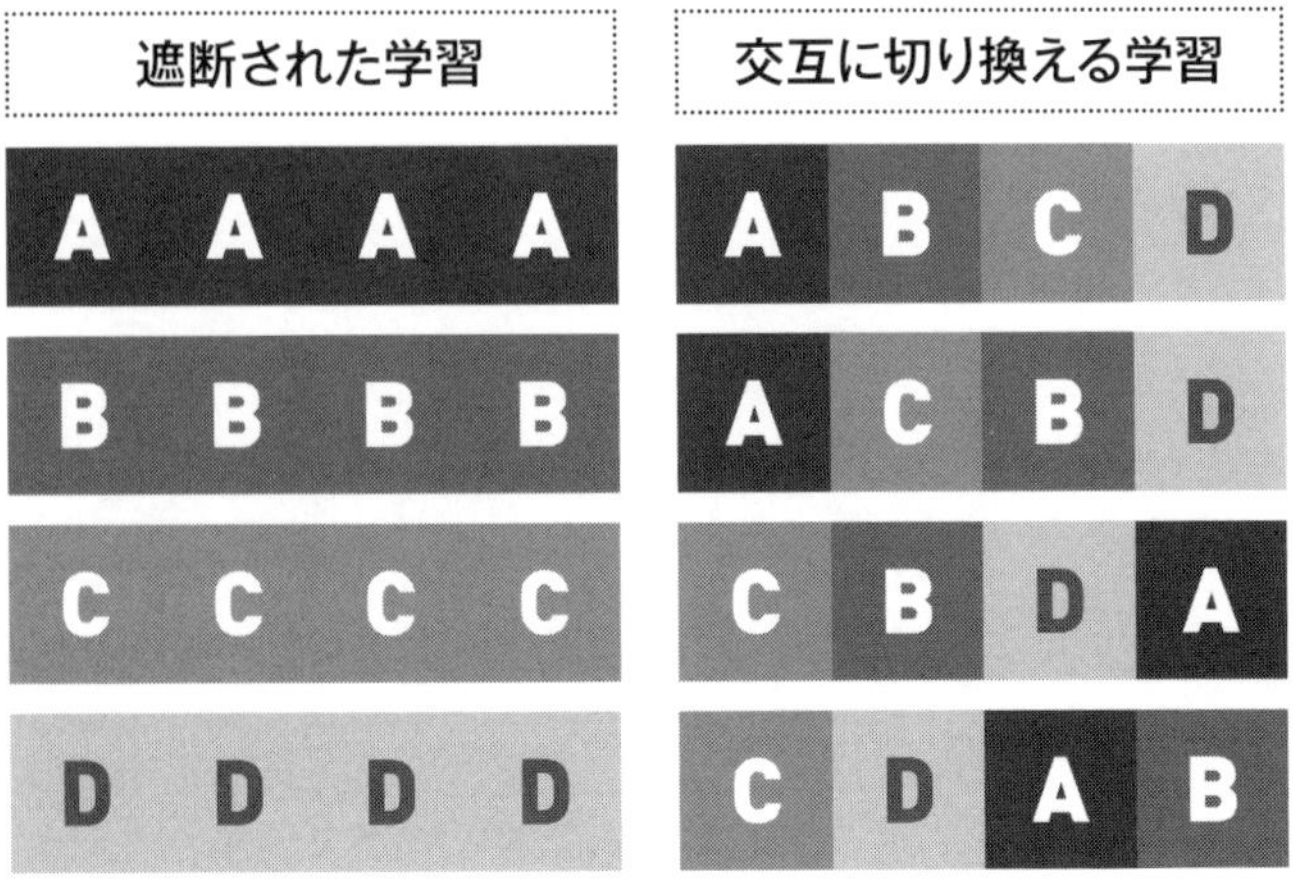

アスリートに対して、遮断されたフォーマットの範囲内で自分のスキルを磨くよう指導していた。たとえば、テニスの場合、フォアハンドの練習だけをあらかじめ決められた時間内でおこなう、そして次にバックハンド、ボレーとなる。しかし、研究者は、プレーヤーがその練習時間の中で異なるスキルを交互に練習すれば、つまり無作為にフォアハンド、バックハンド、そしてボレーの練習をすれば、そのプレーヤーは結果的に、試合で見せるプレーがもっとよくなることを明らかにした。

結局、うまいテニスをするための要素には、すばやいパターン認識、つまり、どの技を使えばよいかという判断ができ、同時にそうした技をすばやく切り換える術を身につける、ということもあるのだ。交互の切り換えについての知識は、コーチングに少なからず革命を起こしている。※10

困ったことに、多くのインストラクターや教科書は交互に切り換える学習法を教えてはいない。たとえば、統計学で異なる確率分布について書かれている教科書には、練習のための二項分布問題が一〇題並んでいる欄が設けられ、その次には幾何分布問題が一〇題続いているといった具合だろう。それぞれの分布についての演習はあるものの、二つの異なる分布を交互に選択しながらの演習はない。

そうなると、異なるテーマとテクニックを交互に切り換える作業は、学習者しだいということになる。この作業をするためには、教科書の異なる章から自分専用の問題リストをつくるのもひとつの方法だ。もうひとつ別の方法は、さまざまな章から問題、画家、テクニックなどの写真を撮ってフラッシュカードをつくることだ。こうすればさまざまな問題に向き合うことと、自分にはそれらの問題を解くための適切なテクニックについての知識があるかどうかを判断する練習ができる。

怠ける気持ちに気を付けよう

期限がぎりぎりに迫るまで怠けているとストレスに襲われる羽目になると考えることで、集中度を上げ効率的な学習ができるようになるかもしれない。確かに、そうしたストレスは単純でわかりやすい問題を効率的に片づけるのには役立つかもしれない。しかし、ほんとうに学習するという話になると、そのストレスが大きな問題を生む原因になるのだ。

ここまで見てきたように、学習にかかわるしっかりとしたニューロンの構造をつくり上げるためには、何日間にもわたって毎日繰り返される短時間の学習が必要になる。もし、学習しようという努力を怠れば、そのときは自らの進歩するための能力を無駄に遊ばせていることになる。自分の脳に、新しい題材を学習するために必要な時間を与えよう。思い出そう、ポモドーロ・テクニックは最高だ！

汗のにおいのする学習のちょっとした秘密 運動の価値

研究者は長年、運動が学習と記憶の形成の両方に役立っている事実を知っていた。そして最近、彼らは、なぜ運動がとても役に立つのか、その核心的な理由を発見した。つまり、それは、運動によって脳の中にＢＤＮＦ（脳由来神経栄養因子）がつくり出されるからなのだ。

ＢＤＮＦはタンパク質の一種で、ニューロンに樹状突起スパインの生成を促す。スパインができあがると、新たなニューロンの結合の生成がもっと簡単になるというわ

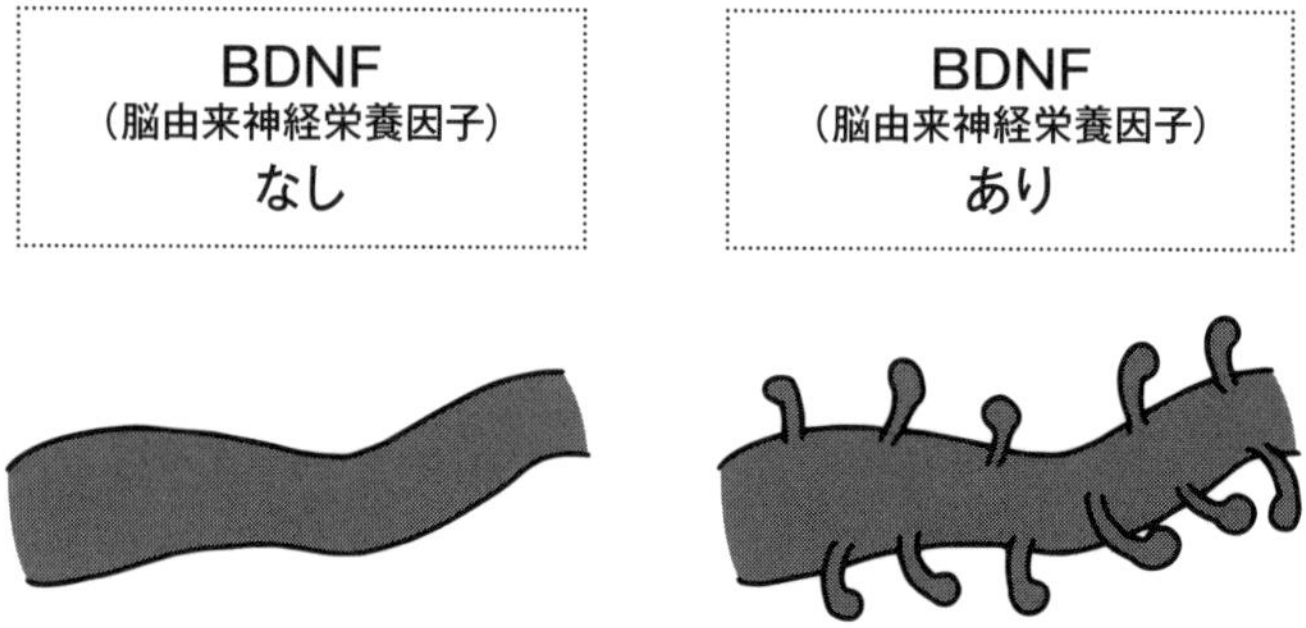

運動は脳におけるＢＤＮＦと呼ばれる物質の形成を助ける。
イラストように、ＢＤＮＦをニューロンに向けて“まき散らす”と
樹状突起スパインが出現する。ＢＤＮＦはスパインの肥料のような存在だ。

けだ。たった一回の運動でも、ＢＤＮＦのレベルを上げられる。しかし、普段からの定期的な運動によって、そのレベルはさらに上がるのだ。※11

目下のところ、認知機能を維持発達させるのに適した正確な運動量についてのガイドラインはまったく存在していない。ただし、研究者には、肉体的な活動量の多い学生は学業でもよい成績をあげることがわかっている。※12

研究によって、六週間にわたって毎週三回、二〇分間高負荷のインターバルトレーニングをする、といった運動で、大学生の記憶能力が一〇パーセント向上した事実が明らかになった。

ある メタ分析では、たった一度の二〇分間の運動によっても、情報処理、注意力そして実行力の急速な改善につながることが確認されている。※13 この研究で、もし頭を使う認知の作業が運動の直後におこなわれるのなら、軽い運動だけで十分にワークアウトの効果が得られることが明らかになった。もし直後でない場合に、より負荷の高い運動でも効果がある。※14

アメリカで推奨されている運動のガイドラインでは、毎週五日間、毎日少なくとも三〇分間の適度な負荷をかけた運動、つまり少なくとも合計で一五〇分の運動をこなすことになっている（どんな運動でも、普段の心臓の脈拍より適度に速くなればよい）。※15

これに加えて、すべてのおもな筋肉を対象とした筋肉強化の運動を少なくとも二日は実行すべきだ。

両方の運動のタイプはともに、ＢＤＮＦのレベルを上げてくれる。そして学習の助

けとなるほかの心理面の変化を無数につくり出してくれる。※16

時間とジムの制約がある、あるいは外出がままならない人にとっては、一日を通して非常に短いけれども負荷をかけたワークアウトを何回かこなすことが、フィットネス向上の役に立つ。しかもおそらく認知機能にもよいだろう。

ある研究によれば、何回かの道具を使わない徒手体操やスクワットそして屈伸運動でウォーミングアップし、その次に歩いて六〇段（階段三階分）登る、これを毎日三回繰り返すことでフィットネスの能力が五パーセント向上したという。※17 ちなみに、ながらの音楽が、つらいワークアウトを楽しいものにしてくれることもあるようだ。※18

ダイエットとサプリメントによる認知機能の強化

最近流行の栄養サプリメントを試してみようという気になるのは、たとえその効果を示すレポートがまったく存在しなくても、当然だろう。たとえば、ヤクヨウニンジンとイチョウには認知機能の強化に効果がないと評価されてはいるものの、[19]一部の食餌や習慣には、研究が示しているように、学習にわずかだとはいえ好ましい効果があるのだ。

カフェイン（コーヒー、紅茶、ガラナ）は一〇分から一五分で注意力を高める効果を発揮する。[20]カフェインの半減期（摂取して以降、体内からその半分が排出されるまで時間）はおよそ五時間で、その間そしてそれ以降も少しばかりの興奮状態が期待できる。ただし、新陳代謝は人それぞれだ。カフェインの短所は、就寝前に飲みすぎると睡眠の妨げになることだ。そうなると今度は学習の妨げになりかねない。

炭水化物、ドーナツや砂糖に入っているような〝炭水化物〟も、摂取してから一五分ほど経てば認知活動にちょっとした覚醒作用を起こせる。これは、脳が消費する燃料であるグルコースを供給してくれるからだ。[※21] しかし、炭水化物を摂りすぎると眠くなるので気を付けよう（一般的に、食べすぎは認知機能の領域に存在している信号の伝達通路を切断してしまう）。[※22]

間欠的におこなう断食、つまり一日およそ五〇〇カロリーを週に二日に限って摂る断食もまた、認知機能を研ぎ澄ますのに有効かもしれない。[※23]

フラボノイド（ココア、緑茶、カレー粉［クルクミン］）は学習と記憶を司る分子構造を改善できる。[※24] しかし、その効果が現れるまでには六か月間はかかる。

興味深いことに、**カフェインと炭水化物は一緒に働いて相乗効果を発揮**し、それぞれ単独のときよりも、認知機能に強力なインパクトを与える。※25 同様に、**健康的なダイエットは、並行して運動をおこなう**と、それぞれ単独でおこなうのに比べて、認知機能を改善する効果が大きくなる。※26 ただし、そのダイエットでは必ず、タマネギやキャベツ類の野菜、少量のナッツ類、微糖のダークチョコレートそして何種類かの新鮮な果物を摂るように心がけよう。※27 長期間健康を維持するためには、加工食品はいの一番に外されるべきだ（試験の前にドーナツはあきらめよう）。※28

クスリと電気的あるいは磁気的刺激による認知機能の強化

有望な研究領域のひとつに、クスリの使用がある。つまり、頭脳に働きかけて、学習が今よりずっと楽にしてくれていた若かった時代の頭の柔らかさを取り戻す効果を狙った、そんなクスリの使用についての研究だ。※29
おそらく、ある特定のクスリが、頭脳を元の状態にリセットし、その柔らかさを一時的にさらに柔らかくできるのではないか。しかし、この領域の研究は、まだ初期段階であり、今のところ、「家で試すのは禁物」であることは間違いない。

学生の中には、アンフェタミンやモダフィニルといった合成神経興奮剤の使用が効果的だと考える人もいるかもしれない。しかし、それらは、使おうと思っている人が期待するほどの効果は得られない。そしてもちろん、そこには副作用と中毒に絡んだ大きな危険がつきまとっている。※30

非侵襲な電気式※または磁気式の脳を刺激するセルフケア製品は、

※"非侵襲"という言葉は誤解を招くことがある。脳にプローブ（この場合は、測定機器につけられている"センサー"というよりも、測定目的で対象に物理的に差し込む"探針"のほうが正確なのでは？　訳注が必要ですか？）や手術用の器具を物理的に刺し込んでいなくても、"実際には"電界や磁界を脳の中に入れている。

もしその販売元の企業を信じるなら、安全で効果があるように思えるかもしれない。しかし、実際のところ、それらの機器の認知機能に対する効用（もしあるとすれば）はとてもささやかなものであり、そのうえ機器を装着するのに時間がかかるため、神経科学者でさえわざわざ苦労してまでそれを自分に使おうとはしない。しかも、安全面で重大な懸念がある。※31　試そうとした人はたいてい、ほんのしばらく使っただけで、やめてしまう。※32

サプライズ！　学習は〝ほんとうに〟寝ているときに進められている

学習とは、樹状突起スパインを隣接した軸索とつないで長期記憶の中にニューロンの結合をつくり出す作業だ。興味深いことに、学習を始めるとスパインが芽を出し始めるにしても、そのスパインが〝現実に〟軸索とつながるのは寝ているときなのだ。[※33] これは休ませている間に筋肉が成長する様子に似ている。学習した一日が終わると八時間ゆっくりと寝たくなるのは、これが理由だ。

これもまた、学習するときには一定の間隔を置くことが非常に重要だという理由だ。一日に一〇時間詰め込みで学習をした場合、一〇日間かけて間隔を置きながら合計で一〇時間学習をしたときほどの効果は得られない。詰め込むことによって最初の結合ができるとはいうものの、そのつながりが長期記憶の領域に移されていくことにはならないからだ。

じつはその長期記憶の領域でこそ、つながりは強化され統合されるのだ。するとその結果はどうなるか？　強化される前の結合はすぐに忘れ去られる可能性がある。スポーツの練習のようなものだ。コーチは誰ひとりこんな風には言わないはずだ。

理想的な間隔の空け方

インターバルをとるための黄金律は、ほとんど忘れてしまうまで待つ、そのあと改めてそのテーマに戻る、ということだ。

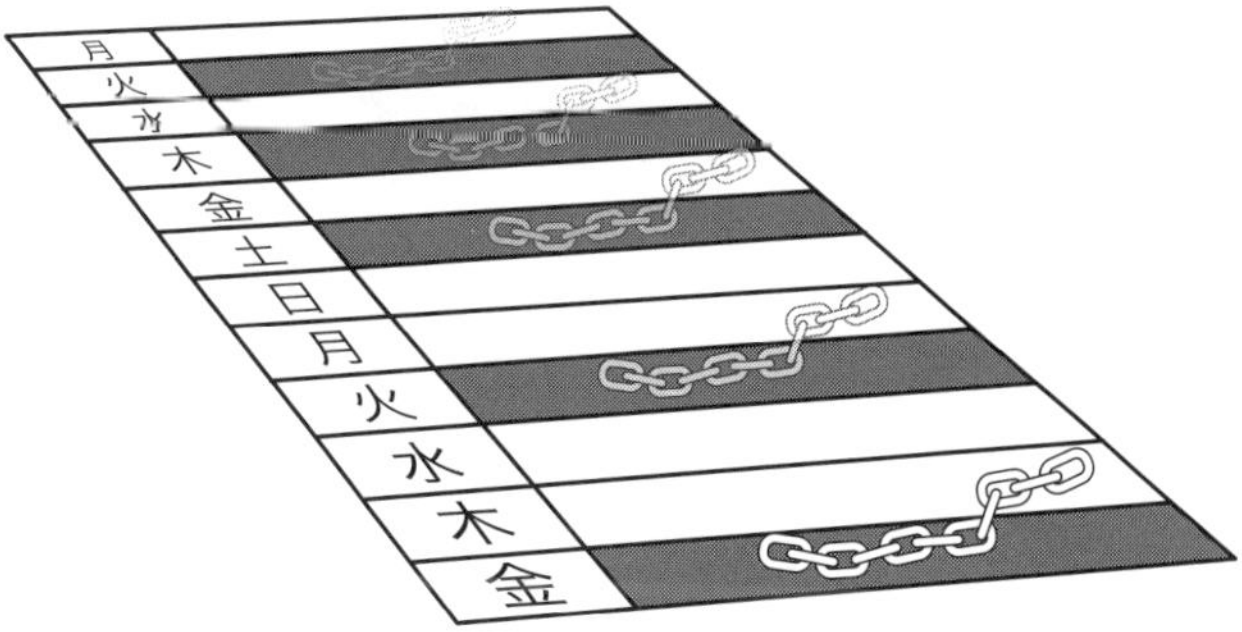

何日間もかけて、一定の間隔を置きながら学習しよう。
そうすれば、一日の詰め込み学習よりも、
はるかにニューロンの結合が強くなる。

「今日は一〇時間みっちり練習しよう。そしてこの週末のトーナメントに備えよう」。

睡眠が重要という理由はもうひとつある。つまり、勤勉な頭脳が一生懸命に代謝産物の影響を、つまり毒性のある生成物の影響を排除してくれるからだ。

生成物は一日のうちにしだいに大きくなっていく。しかし脳細胞は流れをせき止める巨岩のようなものなので、毒性のある生成物が完全に排出されることはない。

ところが、眠りに入ると、脳細胞は収縮する。よかった！　こうなると洗浄用の流体が至るところに流れ込める。そこで毒性のある生成物は一掃

され、新たな学習に備えて頭脳がリフレッシュされることになる。※34

これでうたた寝が学習に役立つ理由が説明できる。シンガポールの学生を対象にしたある研究によって、一日のうちで一時間半うたた寝をすると、夜一時間半にも満たない睡眠しかとっていなくても、午後の学習で、普段よりも多くを吸収し、学習の成果があがったという事実が明らかになった。※35

睡眠の研究者は八時間の睡眠（実際に眠りに落ちるまでの時間を含めて）を勧めているのだから、その時間は必ず確保しよう（特殊な珍しい〝短時間睡眠〟の遺伝子は存在する。この遺伝子の持ち主はどうやら、夜四時間から六時間の睡眠で十分なようだ。ただし、大半の人たちはこの種の遺伝子を持ち合わせてはいないはずだ。とりわけ睡眠不足になったとき、疲労感に襲われるのが普通なのだから）。※36

もっと簡単に眠りに入るには

昔、第二次世界大戦の時代、ストレスで疲れ切ったパイロットは、わずか二分ほどで意識的に眠りに入れるテクニックを身につけていた。読者にも同じことができるよう、そのコツをいくつか紹介してみよう。

まず、寝る前のくつろいでいるとき、二、三分ほどかけて翌日の〝実行リスト〟を書く。これで気持ちがすっきりする。同時に、周囲にある機器の設定を夜モードに切り換える。こうすると、携帯電話やコンピューター、テレビなどの画面から出ている明るい光が遮断されてよく寝られるようになる。※37

寝ている間部屋の照明がついている場合には、アイマスクが驚くほど役に立つかもしれない。また、部屋の温度を一八度前後に設定しておくのが望ましいだろう。

人気の“実行リスト”のアプリケーション
Todoist
Trello
Any.do

携帯電話は必ず別の部屋に置いておこう。※38 日中にいくらか運動しておくことで――ただしベッドに入る直前ではない――夜、ゆっくりとくつろいで眠れるようになる。

最後に、ベッドに入ったら、次のステップに従ってみよう。※39

・**〝落ち着き〟という言葉を頭において眠りにつこう。**この言葉が、自分のリラックスする能力を呼び起こす力になってくれるだろう。

・**目を閉じる、そして意識してすべての筋肉をリラックスさせよう。**まゆの筋肉から始める。なぜなら、気が付かないうちに緊張状態にあるからだ。眼の周りの多くの筋肉もまた、緊張状態にある。リラックスさせよう。

・**深呼吸しよう、それも規則的に。**あごの力を、完全にリラックスしながら抜こう。舌や唇も同時に。

・**肩はしばしば緊張で張りつめたままになっている。緩めてやろう。**胸を緊張感のまるでないクラゲのような感覚にしよう。

・**腕の筋肉をリラックスさせる指令を出そう、上腕、二の腕、左そして右と。次に足に移って大腿筋、ふくらはぎ。左そして右。**リラックス状態になっていくのを感じとろう。

・**筋肉をリラックスさせたら、次に、何か頭に浮かんだものに、**たとえば、じっと動かずにいる空の雲に、**意識を集中させ続けよう。**動いている自分を想像しないよう気を付けよう。事実、動いている自分を想像すればするほど、それによってますます目がさえていく。**それよりも、真っ白なスクリーンを思い浮かべ、自分の想像力によって、何でもよい、頭に浮かんでくる夢のような空想をそのスクリーンいっぱいに映し出そう。**

・**抱いている恐れや心配ごとを追い払おう――意識の外へと一掃しよう。**上手に睡眠をとる人の中には、一〇時（何時でもよい、就寝の時刻）から朝の五時三〇分までは頭を遊ばせるというルールの持ち主もいる。なぜなら、五時三〇分を過ぎないと現実に、人生のさまざまな問題に答えが出せないからだ。何かの心配ごとで目が覚めても、起きる時刻になっていなければ、まだ頭を働かせるときではないと自分に言い聞かせ、体内時計を起床時刻に合わせてセットし、考えごとはさっぱりと忘れよう。

練習によって（学習しているときの練習の大切さを思い出そう！）、これらのステップを実行することですぐにぐっすりと眠ることもできるはずだ。もし夜中に目が覚めたら、考えをめぐらすのはやめよう。リラックスするための手順で眠りにつこう。

＊　＊　＊

どんなものにしても、深く学習するのは、難しい課題だ。しかし、自分の学習の意味を理解し学習に没頭することも、その課題の一部なのだ。これが次の章でわれわれが取り組むテーマだ。

第三章のまとめ

より深く学習するには

学習するとは、頭の中でニューロンを結合させることだ。学習を深くて永続性のあるものにするには、そうした結合を強くすることが必要だ。

〝積極的に〟**目の前の対象に向き合って**、こうしたニューロンの結合を活性化させよう。そのため、できるときはいつでも**回収作業**を活用する。

・自力で問題にあたろう。答えを見るのは禁物だ。
・自分自身に試験をしよう。

・ある文章から要点を思い出すように努めよう。
・自分自身に、あるいはほかの人に、わかりやすく要点を説明しよう。
・ある対象について自分と同じように興味を持っている人や少人数のグループと協調しよう。
・学習用の素材をつくり出そう。フラッシュカード、学習ガイドなど、情報を整理し、そして新しい形にまとめるのに必要なものならなんでもだ。

学習を、超長時間のセッションにするのではなく、数日間にわたる、いくつか短時間のセッションに分割しよう。

進歩が速くなるよう自分自身を鼓舞しよう。学習が楽になったときは、難易度のレベルを上げよう。

難しい概念を上手に学習するためには、学習している内容と、それとは別に学習し

ている内容やすでに学んだ内容とを積極的に結合させなければならない。これは、推敲やあるいは交互の切り換えによってできる。

一生懸命学習しているときに、怠け心を起こしてはならない。上手な学習をするためのしっかりしたニューロンの構造を築き上げるには、何日もかかる。そこで、ポモドーロ・テクニックが非常に役に立つはずだ。

定期的に運動しよう。すでに紹介したように、運動はニューロンの結合の形成がもっと簡単にできるようにしてくれる。

コーヒー、紅茶といった認知機能を高めてくれるものを、健康的なダイエットと組み合わせながら注意深く使用することによって、学習の能力を向上させられる。

毎日、十分な睡眠をとろう。寝ているときに、ニューロンの構造がつくり上げられ

ていく。数日間にわたって学習の間隔を空ける作業をすることによって、睡眠時間が長くとれるようになる。そうすれば学習そのものも強化されていく。

第四章

作業記憶を最大にして、上手にノートをとるには

キーポイント

脳には、二種の違った記憶がある。
作業記憶と長期記憶だ。作業記憶でおこなう
情報の保持は一時的なものだ。一方、長期記憶では
情報をもっと永続的に保持する。情報が作業記憶から
長期記憶に移されて初めて、本物の学習になる。

天才的数学者ジョン・フォン・ノイマンは超難解な数学の演算を頭の中でこなすことで有名だった。わずか六歳のとき、八桁の数字の複雑な割り算ができた。母親が視線を泳がせてぼんやりしているのを見ると、無邪気にこう尋ねたものだ「お母さん、何を計算しているの？」

フォン・ノイマンが自分の頭でこうした離れ業ができたのは、圧倒的に優秀な作業記憶が、つまり情報を保持し処理するため一時的に使えるスペースが、その頭の中にあったからだ。※1　作業記憶は学習するとき核心的な役割を担っている。それは問題を解くために活用するものであり、そして**対象**を読み解くために活用するものだ。つまり、その情報を長期記憶の中に保存するためには、重要であり、なくてはならないものなのだ。

この章では、冒頭でまず、作業記憶の全体像を手短に紹介しよう。続いて、重要なアイデアを整理し保持し吟味するための最高の方法のひとつ、ノートをとる作業に話を進めていこう。

作業記憶　手品をマスターしよう

作業記憶は〝意識の〟タコだと考えられる。人が何かに集中しているとき、タコはその足を使って、その人の考えていることを互いに結合させる。たとえば、その足は長期記憶にまで伸ばせるので、その長期記憶の中にある連鎖と、目や耳が取り込んでくる情報とを結合させるのだ。

一般的には、人の作業記憶ではおおむね三つか四つまでの考えや概念を保持できる。言い換えれば、意識のタコには、三本か四本の足がある。※2　とはいえ、人によって、

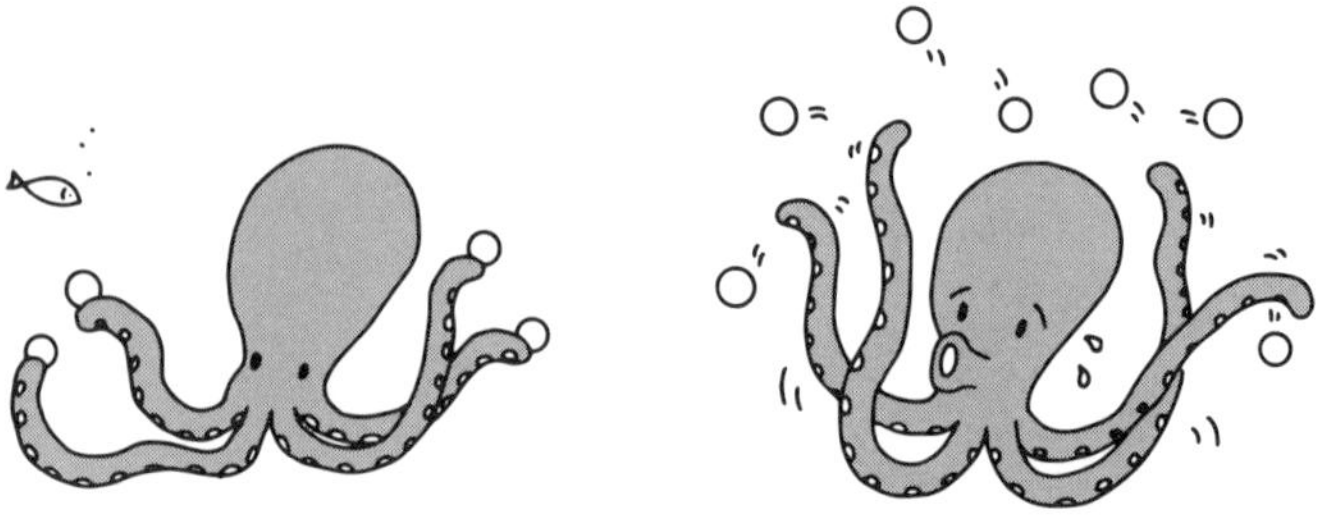

人の作業記憶は、頭の中で一度にせいぜい四件程度の情報を保持できるにすぎない。もっと多くの思考に押し寄せてこられると、お手上げ状態になる。情報や思考は落ちこぼれてしまう。

作業記憶の容量はさまざまだ。一度に五件以上の情報を保持できる人もいれば、その一方では二件か三件に過ぎない人もいる。

足はつるつるしているので、タコは思考を長い時間抱え込んでいられない。たとえば、今、スピーチの授業を聴講しているとしよう。そこで、〝バツの悪い思いをした瞬間〟について、即興で二分間スピーチをするようにと指示される。

するとすかさず、作業記憶が動き始める。例の意識のタコの足が一本、そ

短期記憶は、普通、情報を一時的に保持できる脳の一部だと考えられている。たとえば、人の名前を聞かされると、その情報は短期記憶に保存される（文字通り一時的に！）。これに対して、作業記憶には一般的に短期記憶と“そして”処理する――つまり認識の仕事をする――能力の両方が備わっている。したがって、人の名前“ワンダ”を杖（ワンド）と結びつけ、ワンダの頭の上で杖を振っている様子を視覚化すると、そのときには作業記憶を働かせていることになる。

のスピーチのテーマを保持すると、バツの悪い思いを静かに繰り返すので、忘れない。聴衆を前にした不安な気持ちを受け止めるのに、意識のタコのもう一本の足がいる。

さらに、もう一本の足を長期記憶にまで伸ばして、バツの悪い思いをした瞬間を探そうとする。すると、最初のデートで彼女と夕食をとっているテーブルで、飲み物をこぼしてしまったときの記憶を見つけ出す。

これが簡単につなげられる連鎖だ。こうしてこの夜、話を始める。ここまでくると、この話を思い出すために足を一本使う必要がなくなるので、今度はその足を使って、それ以前、聴衆に〝向き合って微笑み、そして身振り手振りをする〟ことを練習した連鎖に触れるのだ。

長期記憶にある連鎖が作業記憶を強化する

第三章で述べたように、何かを学習している――〝ほんとうに〟学習している――ときには、必ず、長期記憶の中にさまざまな連鎖がつくり出されている。すると、意識のタコ（作業記憶）は、アイデアを考えたり活用したりする必要のあるときにはいつでも、これらの連鎖を取りに行ってくれる。作業記憶が取りに行けるニューロンの鎖は、エクセルのピボットテーブルをすばやくつくったり、中国語の長い文章を言ったり、回路解析における難解な問題を解いたりといったことができるようにしてくれる、そんな存在だ。たとえ、こうした仕事はどれもこれも、当初は、難しくてとても無理に思えることだったとしても。

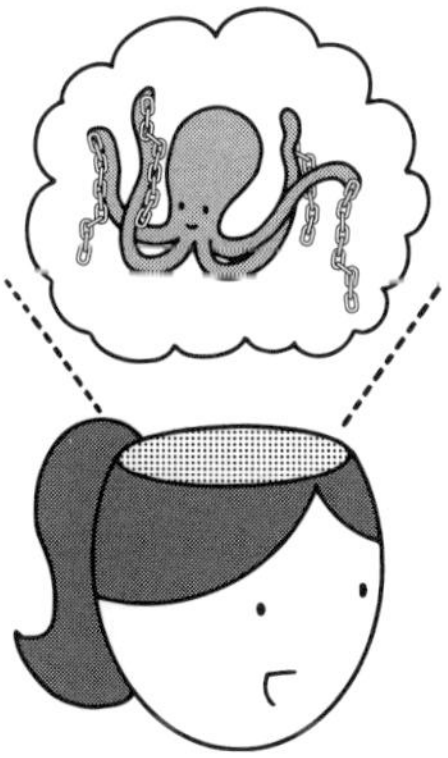

長期記憶の中で保持できる連鎖の数には事実上、制限がない。しかし、意識のタコの足の数には、つまり、すぐに自分の意識に引き込む足の数には、限りがある。さまざまな連鎖は意識のタコの足の“あらかじめ用意された”延長としての役割を果たすため、それらの鎖は作業記憶の能力を拡大してくれるのだ。

ここで、とても簡単な例を紹介しよう。もし〝aueiutfbl〟という文字を目にしても、おそらく今まで出会ったこともない文字列なので、作業記憶の中でこれらの文字をすべて保持するのは難しいだろう。

しかし、もし目の前の文字が〝beautiful〟なら、同じ文字でもすでに学習ずみの形に並べ替えてあるので、この文字列は作業記憶の中でひとかたまりの情報として簡単に保持できる。

言い換えれば、学習された鎖がいくつも連結することによって、作業記憶の中で一度に効率的に保持できる量を増加させられる。というのも、タコの四本の足それぞれが、すでに学習した情報の断片を捕捉できるからだ。

作業記憶を最高に活用するには

目の前の対象を理解するのに苦労しているとすれば、それは作業記憶が限界にきているからだろう。難解な情報をすべて一度に処理するのは不可能だ。その対処法を紹介しよう。

簡単にする

学習するとき、要点をまとめてみよう。そうした要点は驚くほど簡単なことが往々にしてある。些細なことにこだわってお手上げ状態にならないようにしよう。時にはほかの人が説明してくれた内容をわかりやすく簡単にする必要に迫られることがあるかもしれない。というのも、簡単にする方法をよく知らない人がたくさんいるからだ。

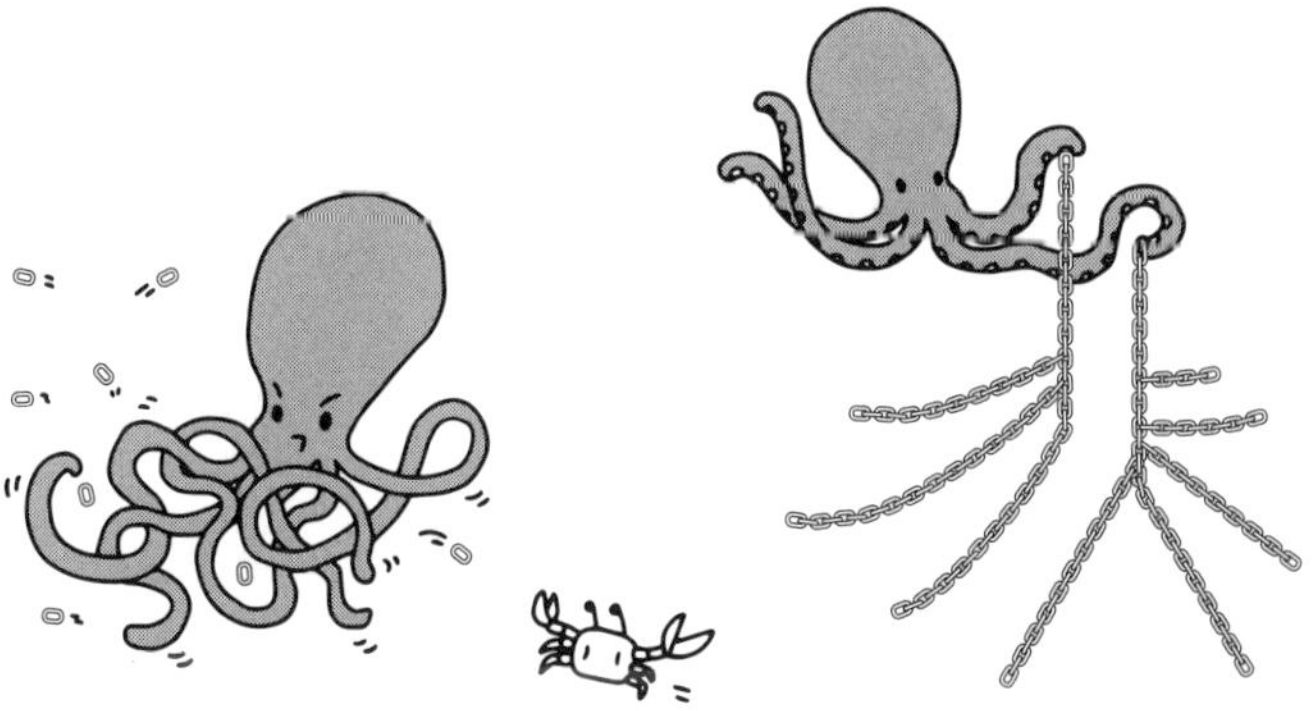

作業記憶は、長期記憶の中に次々に連鎖を生み出すために
一生懸命働く必要に迫られるかもしれない。というのも、長期連鎖とは、
捕捉するのが簡単で、問題を解決しそして概念を理解するために使える存在だからだ。

対象をいくつかの塊に分解しよう

学習する内容を小さな塊に分解する方法を見つけ出そう。基本に忠実になってみよう。

次に、たくさんの知識の塊を寄せ集めてもっと大きな連鎖を形成させよう。たとえば、物理の教科書の難解な個所を理解しようとする場合、同じ教科書からいちばん簡単な例題を選び出してまずは独力で、そして必要なときに限って答えを覗くようにしながら、最後までなんとか粘ってみよう。さらに、次々に別の例題に取り組みながら、しだいに難しい問題へと向かっていく。このプロセス

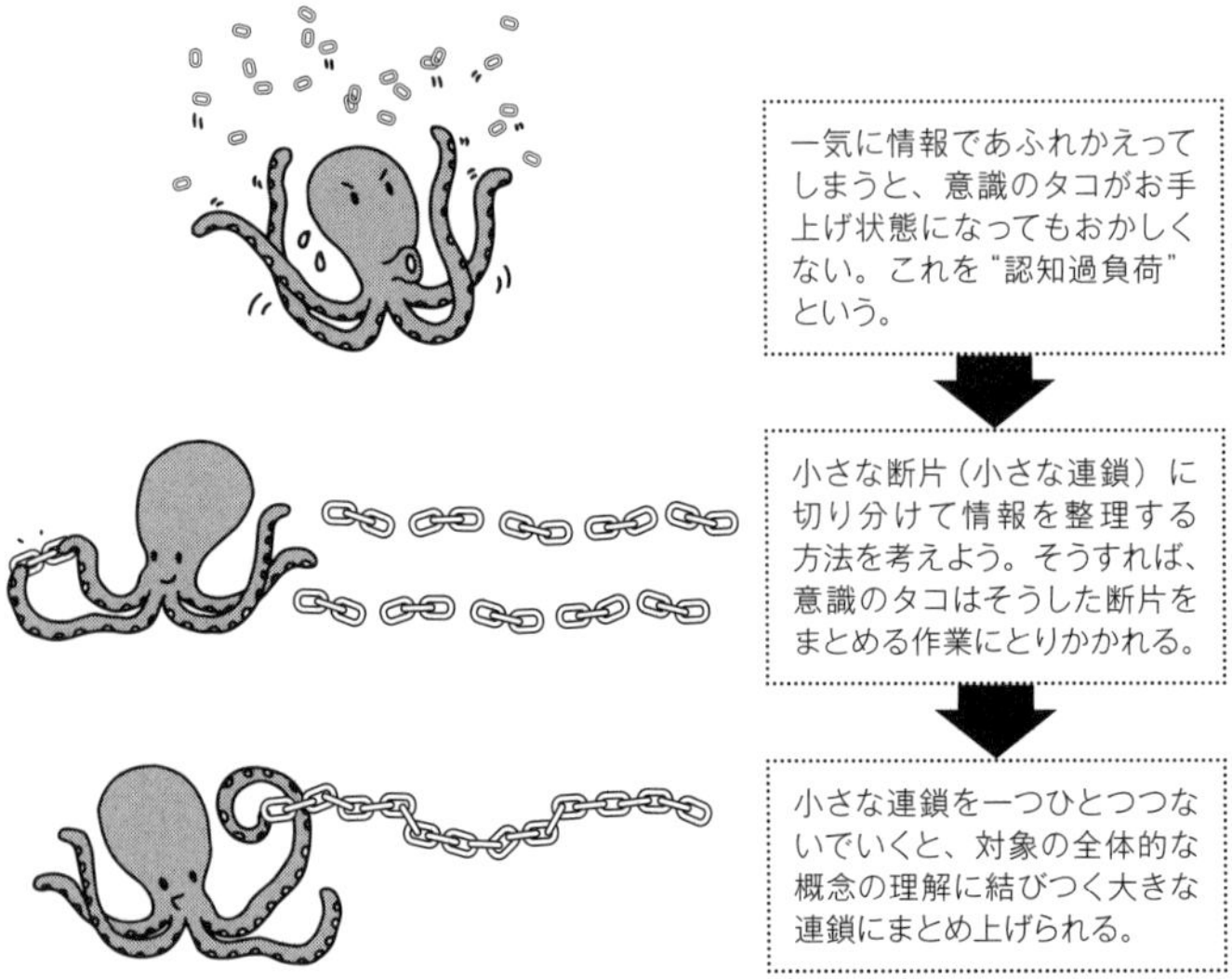
一気に情報であふれかえってしまうと、意識のタコがお手上げ状態になってもおかしくない。これを"認知過負荷"という。
小さな断片（小さな連鎖）に切り分けて情報を整理する方法を考えよう。そうすれば、意識のタコはそうした断片をまとめる作業にとりかかれる。
小さな連鎖を一つひとつつないでいくと、対象の全体的な概念の理解に結びつく大きな連鎖にまとめ上げられる。

が、長期記憶の中に基礎となる連鎖をつくり出すきっかけになる。対象の修得を続けるにしたがって、鎖が相互につながっていく。

大切なのは、もし行き詰まったときには、ひと息つくか、それとも一晩ゆっくり休んで、裏側で拡散モードが働いてくれるようにもっていくことだ。

言語の学習でお手上げ状態になったら、細かな塊に、つまり数語の単語に、ひとつずつ集中するようにしよう。そうすれば、それらをまとめることで意味のある文章にできる。会計を勉強しているときには、損益計算書の理解に集中し、そのあとで貸借対照表やキャッシュ・フロー計算書に移ろう。楽器を演奏するときには、個々の短い旋律の修得を心がけ、そのあと、旋律をつなぎ合わせて全曲を演奏する。空手の場合、先生は弟子に個別の小さな技の流れを練習させ、そのあとでそれらをつなげて、きれいに回し蹴りができるようにもっていくものだ。

もっと理解しやすい言葉に翻訳しよう

作業記憶への負担を軽くするために応用できるコツは、理解不能な技術用語をわかりやすい言葉に置き換えることだ。たとえば、〝トルク〟は〝回転〟でよいのかもしれない。

また、目と耳から同時に説明を受けるようにしよう。そうすれば、理解がしやすくなる。これが、しばしば説明書よりもビデオのほうが学習するのに容易になる、という理由だ。※3

もっと広い意味で言えば、取り組むべき課題は、学習している内容を既知のものや、自分になじみのあるものに結びつけることだ。

作業リストをつくろう

学習しているときは、作業記憶を目下の学習の対象と直接関係しない思考から解放させよう。作業リストをつくることによって、この種の解放がしやすくなる。この作業リストが、自分の思考を不安定な作業記憶からもっと安全な場所へと移し変えてくれるのだ。いくつもの作業を記憶する努力をしなくても、自分には作業リストがあることをおぼえているだけで十分だ。

紙に書こう

キーワード、数字あるいは公式などを紙に書き込めば、作業記憶がその紙にまで拡張されていく。こうした情報を作業記憶ではなく、紙にとりあえず保存しておけば、それによって自分の能力を自由にほかの対象に使えるようになる。

もっと上手にノートをとるには

書籍やビデオ、講義などから情報を吸収するときには、見るもの聞くものが作業記憶の中へと入っていく。しかし、そうした情報は意識して長期記憶に入れ込もうとしなければ、数秒のうちに消滅してしまう。だからこそ、ノートをとることが非常に役に立つのだ。

つまり、ノートをとることによって情報を処理し、整理し、まとめ上げ、そして蓄積できる。これが事後の復習や練習につながり、長期記憶の中にさまざまな連鎖をつくり出せるようになる。ここまでくると、われわれは重要な疑問にぶつかる。それは、ノートをとる最高の方法とは何か、という疑問だ。

準備しよう

書籍の文章や記事を読んでノートをとろうとしているときは、その文章がどのように構成されているか大局的に見るところから始めよう。そのためには、あとの第八章でのさらに踏み込んだ議論にあるように、太字のテキストやキャプション付きの写真を一、二分見ただけでも参考になる。

教室の講義を聴きながらノートをとるつもりなら、講義に出席する前に、関連の素材や指定の書物を一読するか、少なくともそれにざっと目を通しておくべきだ。映像を見るつもりのときには、事前にその字幕（クローズドキャプション）が手に入り、目にしておけることもあるだろう。こうした準備によって、もっと整理されたよいノートがとれるようになる。

要点を抽出し整理しよう

上手にノートをとるためには、それが書籍、ビデオ、教室、トレーニングの場などなんであっても、その要点を書き留められるよう、頭には本物の集中力が必要だ。最新の研究によれば、タイプライターと手書きのどちらも、ノートをとるための効果的な手段だという。※4 だとすると、上手にノートをとるにはどうすればよいのか？

次にお勧めの方法をふたつ紹介する。

・分割したノート

ノートをとり始める前に、図で示すように、ページの左三分の一あたりに上から下まで縦の線を一本引こう。次に、おもなアイデア（冗長な言葉の羅列ではなく）を縦の線の右側の欄に書き込もう。短く縮めた言葉を使い、すぐ頭に浮かぶthe a like thisといった些細な単語は省略する。記号（↓ + = ≠ # ✓ Δ）や省略語（eg, etc.)

ページを分割したノートの例

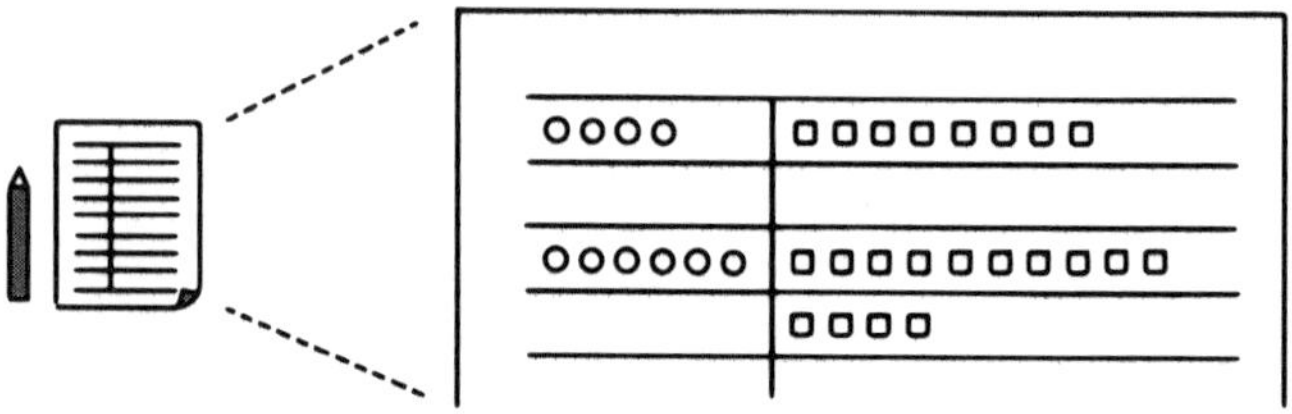

右の欄にノートを書く。
そのあとで、左の欄にまとめのキーワードや見出しを書いていく。

の類を、つまり意味内容を欠落させることなく早く作業ができるものなら、なんでも使おう。そして、書いている最中でも、書き終わったときでもよい、左側の欄にまとめの言葉を書き込もう。※5

あとでノートを復習するとき、右側の欄を隠したまま、まとめの言葉を手掛かりに、その言葉の先にある意味を思い出せるか、自問自答してみよう。

もし何かとても重要だと思えるもの、つまりテストに出そうな内容には、その横に星印をつけておこう。

概念図の例

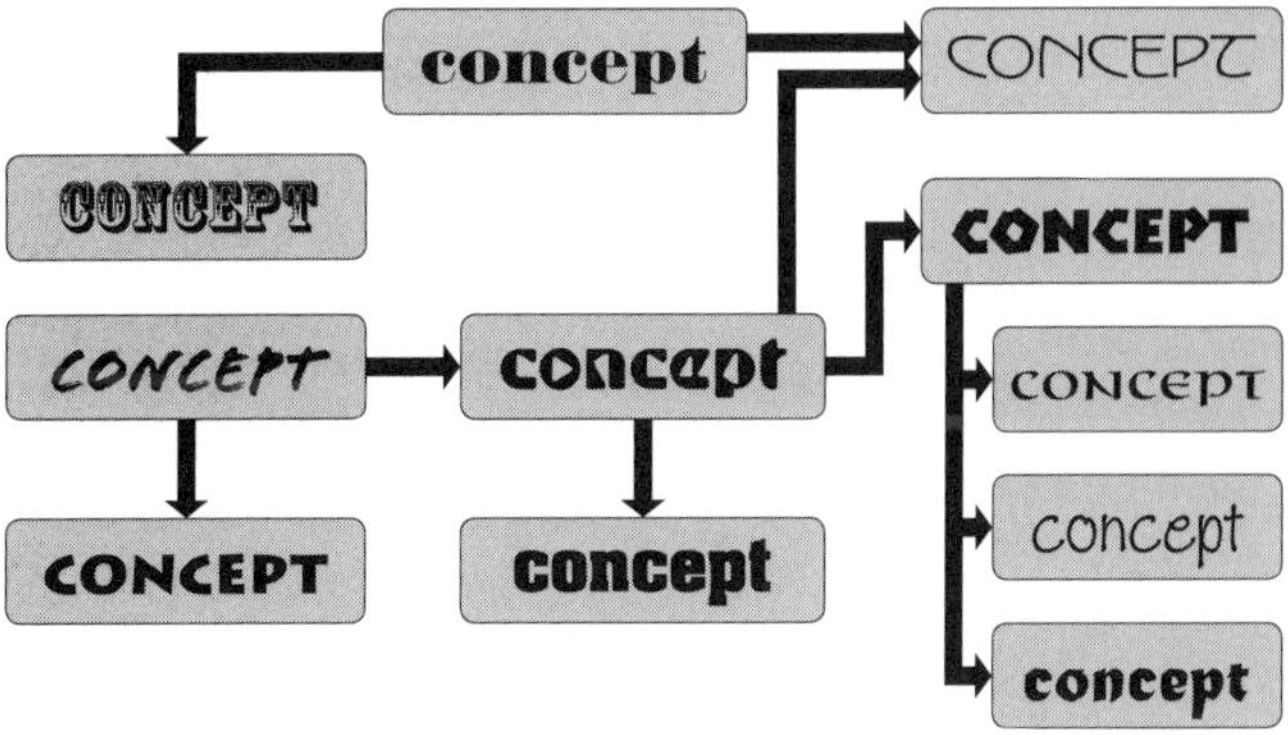

・概念図を書く

概念図を書くことが、情報を整理統合することにつながり、アイデアや概念が互いにどのように関連しているのかが理解できるようになる。ブレーンストーミング（あるプロジェクトを計画しているときのように）やノートとりに活用される。この概念図はさまざまな関係を示すために、短い言葉とそれらをつなぐ矢印を書くことによって構成されている。

復習

ノートを活用するうえでいちばん重要なの

は、一日が終わる前に、再度、ノートの内容を復習することだ。たとえ疲れていても、数分かけて重要なアイデアを頭の中に引き込もう（ノートの上っ面を読むだけでは不十分だ）。思い出す作業も含めて上手な復習の作業をする時間は、きわめて重要な連鎖を構築するうえで、非常に役に立つ。むしろそれはノートをとっているときの時間よりも大切だ。

たとえば、ある研究によって明らかになったのは、ノートに頼らないで思い出すテクニックのほうが、思い出す作業をしないで概念図を書くことよりも、対象を記憶し理解するのに効果があるということだった。※6

医学生による別の研究では次のようなことがわかった。つまり「Aの成績をとる学生はほぼ決まってその日に講義の内容を見直している。反対に、Cの学生はほとんど見直しをしていない」。※7

ノートの内容を復習するとき、左の欄の内容を見て、右の欄に書いた情報の詳しい内容が頭に入っているか、自分自身にテストをしよう。

人気のあるノートとりのアプリケーション
Evernote
OneNote
Coggle (for mind mapping)
SimpleMind (for mind mapping)

ノートをとるためのシステム
Livescribe （記録するときに使っていたノートをタップすることで、記録した部分を再生できる）

対象をもっとよく把握するため、ふとビデオを見直す気になることもあるだろう。しかし、ある研究によれば、主要なアイデアを整理して自分のものにすることをしないまま、ビデオの講義を漫然と見直すだけの人は、成績がよくないことがわかったという。※8 そして、試験の前にまったくノートを復習しない学生の成績は、きわめてお粗末だともいう。

何よりも、肝心なことはノートをとることではない。大切な内容を頭に入れることだ。

最良のノートでさえ、正しい目的で使われなければ何の価値もないのだ。

ノートとりの仲間づくり

ノートをとるのは重要だ。というのも、とくに教室や講演会に参加しているときは、ノート取りが集中するために役立つからだ。

しかし、人によっては、聞きながらノートをとっているとき、講師の話についていくのが難しい場合もある。作業記憶の能力を超えているのかもしれない。こんなときには、ほかの人からノートを借りたり、共有されている文書を使ったりしてノートをまとめあげるのが有効な対処法だ。そうすれば、お互いが協力してノートのページを埋められる。

研究者によると、試験の前にほかの学生のノートを使って復習する学生は、自分ひとりだけのノートをつくる学生とほぼ同等の成績をおさめるという。※9

コラム
教室を休む

現実に講義に出席しなければならない、そして出席するためにその教室まで長距離を移動しなければならない、あるいは、お粗末な講師の講義に出席するといった場合には、教室に行くのをやめて、講義の映像（もしあれば）を見たり、借りたノートで勉強したり、自分ひとりで問題を解こうと考えたりするかもしれない。われわれには、こうした方法で学習の効率を劇的に上げてきた学習者を数多く見てきた長年の経験がある。

たとえば、デービッド・ハンデル博士はキャンパスから離れたところに住まいがあり通学距離が長かったため、医大の講義を何回も欠席、そのたびにそこで浮いた三時間から六時間を使って効果的な学習をしていた。※10 医大を首席の成績で卒業している。とはいっても、以下の条件を満たさないかぎり、博士の真似はしないように。

・自力で学習するための訓練や意欲は十分。
・自力で学習する方法も、何をすべきかもわかっている。
・自力で学習するつもりでいる。なぜなら、大いに時間の節約になるから、あるいは指導者がひどい、鈍い。
・重要な情報はどれも逃さないつもりでいる。言い換えれば、プレゼンテーションのスライド画面、友人また文書から必要な情報が手に入る。
・教室への出席を要求されていない。あるいは、欠席しても処分されない。

＊　＊　＊

この章では、作業記憶を最大にして学習内容を理解し確実に保持する方法について紹介してきた。次の第五章では、学習したことを記憶し、自分のものにすることに役立つ、さまざまなテクニックに深く切り込んでいく。

第四章のまとめ

作業記憶を最大にして、上手にノートをとるには

作業記憶は考えや情報を一時的に保持しておくところだ。何かをいったん作業記憶に取り込んでしまうと、ほんとうに学習したかのように思ってしまうことがある。しかし、学習というものが完結するのは、アイデアや概念またテクニックを長期記憶に確実に取り込んだときだけだ。

頭の中にいちどきに保持できる情報は、三件から四件までの断片だけだ。なぜなら、作業記憶にある〝足〟の数は数本にすぎないからだ。もし作業記憶が過剰な情報であ

ふれてしまったら、それらを小さな断片に分解してみよう。

長期記憶の中に連鎖を構築することによって、作業記憶領域の規模の小ささを補える。

限りのある作業記憶を最大限に活用するために

・対象をいくつかの断片に分解しよう。
・学習している内容を、もっとわかりやすい言葉に翻訳しよう。
・作業記憶を空白にするために、作業リストをつくってみよう。
・作業記憶を拡張するために、紙にアイデアを書いてみよう。

上手にノートをとるために

・分割したノートを使いこなそう、また、概念図をつくろう。
・ノートをとったその日のうちに、必ずノートの復習をしよう。
・ノートに書いた重要なアイデアを積極的にものにし、思い出そう。

第五章

記憶し内在化するには

シャッフルしたトランプ一組五二枚のカードの並びをすべて記憶するのにどれほどの時間がかかるだろうか。ミシシッピ州出身の医学生のアレックス・マレンには一九秒以内で記憶する方法が身についている。

マレンにそれができるのは天才だからと考えるのは簡単、しかし本人が言っているように、マレンの脳は何も特別なものではない。強力な記憶のテクニックを駆使すれば、情報を誰でも簡単にすばやく情報を記憶できるのだ。

なぜ悩む？
情報を記憶に焼き付ける価値

どんな情報でも調べられるような世界にいると、なんでもかんでもわざわざ記憶する必要があるのか？　という疑問が浮かんできてもおかしくない。その答えは〝イエス〟だ。重要な情報を頭の中に入れておくと、時間が節約できる。試験、面接そして人との付き合いのとき、困って立ち往生している姿をさらさないですむ。しかし、〝イエス〟のいちばんの理由は、理解を深め、難しい問題を解くためには、ある程度の記憶量が欠かせない、ということだ。

基本的に、外国語を学習するにしても、グローバル化のもたらす影響と格闘する、あるいは難解な宇宙物理学の問題を解くにしても、ある程度の記憶と内在化がなければ、思いどおりの成果をあげるのは難しい。

成果をあげるためには、自分の頭の〝中〟から情報や手順をすばやく簡単に引き出すことが求められる。つまり、肝心な情報に関して、長期記憶の領域に構築されるはずの強力な連鎖を用意しておかなければならない。

こうした連鎖をあらかじめ用意しておくことによって、作業記憶が解放され、高いレベルの思考ができるようになる。※1

キーポイント

情報の肝心な部分を記憶することによって、考える力の負担が軽くなり、より複雑な概念を理解し、一層次元の高い問題を解けるようになる。

たとえば、「フランス革命とロシア革命を比較対照せよ」といった試験問題に答えるとしよう。この問題では、より高度な順序思考が要求されている。つまり、求められているのは細かな事実の羅列ではない。

とはいえ、両方の革命のタイムフレームやそれぞれの国民の主要な問題や不満といった些末に思える事項も含めて、フランス革命とロシア革命両方の核心を長期記憶の中に取り込めていないとしたら、そのときは、回答をどのように系統的に組み立てればよいのだろうか？※2

化学の分野では、さまざまな酸の式を記憶していれば、それらの酸にまつわる情報の分析理解が簡単になる。物理の分野では、ベルヌーイやポアソンの方程式を記憶していることが、それらの方程式が表しているさまざまな関係を理解することに役立つ。

この記憶と理解の間には相互作用が働いている。**つまり、情報をよく理解したときには記憶するのが簡単になる一方で、記憶した情報を理解することもまた、簡単になるのだ。**※3※4

記憶するコツを使って情報を記憶するには

もっとも効率のよくない記憶法は、情報を何度もしつこく眺めてばかりいることだ。最低でも、想起のテクニックを使って記憶から情報を引き出す、そして何日間かにわたって間隔を空けながら、この作業を数回繰り返すべきだ。

しかし、それより賢い方法がある。記憶するコツ——記憶術とも呼ばれている——が、物事のスピードを上げてくれる。

コツというものを使うにしても、やはりある程度まで繰り返して練習する必要はあるだろう。とはいえ、コツを使わないときよりも、練習の必要性はずっと低い。記憶するコツを使うと、簡単に記憶できるだけでなく、〝一層しっかりと〟した記憶になるのだ。

つまり、それらは長期記憶の中にとどまり、必要なときには、そこから簡単に引き出し、働いている作業記憶の中へと送り込める。

言葉による記憶のコツ

ここで、信頼できる言葉による記憶のコツを紹介しよう。

頭字語

もし足首をくじいたりすると、それがちょうどよいきっかけになる。つまり、医者が勧めるのは「安静Rest、氷Ice、圧迫Compression、吊りElevation」で、この四種の治療法を〝ＲＩＣＥ〟という言葉でおぼえればよいと教えてくれる。

このコツは、おぼえる必要のあるものなら実際にどんなものにでも応用できる。おぼえなければならない個々の単語の最初の文字を単純に拾って、それらを並び替えながら、ひとつの言葉ができるかどうか試してみよう。

古代ギリシャの三大哲学者の名前、つまりソクラテス、プラトンそしてアリストテレスからは、たとえば、〝ＳＰＡ〟という頭字語ができるわけだ。

キーポイント

記憶のテクニックがすべて、
あらゆる種類の対象に有効というわけではない。
何かを記憶する必要があるときは、
別の記憶のテクニックを検討しながら、
おぼえようとしている対象に
もっとも適したテクニックを選択しよう。

文章

気の利いた頭字語がつくれない場合、個々の言葉が自分の記憶のリストにある言葉を連想させてくれるような、ひねりの利いた文章をつくればよい。〝My Very Elderly Mother Just Served Us Noodles〟（私の年老いた母親が私たちにヌードルを食べさせてくれた）という文章は、惑星を順番に連想させてくれる。

つまりMercury 水星、Venus 金星、Earth 地球、Mars 火星、Jupiter 木星、Saturn 土星、Uranus 天王星、Neptune 海王星だ。

文章は数を記憶するのにも役に立つ。〝How I wish

I could calculate Pi〟「パイの計算ができるようになりたい」によってパイπの数字七桁を憶えるが楽になる。というのは、各単語の文字数がパイの数字（3.141592）に対応しているからだ。

視覚による記憶のコツ

人の顔を憶えるほうが、その人の名前を憶えるよりも簡単という事実に気が付いているだろうか？　脳はとりわけ視覚に強い。大脳皮質のほぼ半分が視覚処理に関係している。一方、聴覚のほうは大脳皮質の一〇パーセントにも満たない。※5　つまり、脳には立派な視覚による記憶があるのだ。

次のようなアイオワ大学の研究がある。ある人の集団に対して二五六〇点の画像が示された。その数日後、それらの画像の一部が再び示されたものの、そこにはその前

に示されなかった画像も混在していた。被験者は、平均すると、もとの二五六〇点の画像の九〇パーセントを特定した。※6

鮮やかな画像

いちばん簡単な視覚による記憶のコツは、記憶しようとしている概念を連想させてくれるイメージをつくることだ。そのイメージが突拍子もなく、面白くそして鮮やかであればあるほど、記憶の中にしっかりと定着する。※7

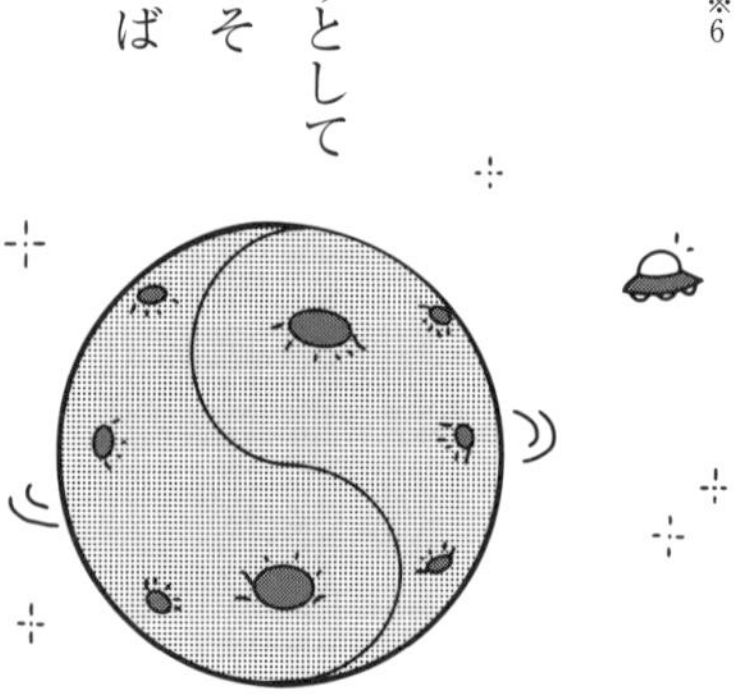

あたかもそのイメージが、短い動画のクリップをつくるかのように、ある種の動きの中でできあがるのもよいことだ。たとえば、月面着陸が一九六九年だったことを思い出したいとしよう。そのためには、陰陽太極図を思い浮かべればよいだろう。鮮明なイメージはそこに音と感情を加えることによってより一層鮮烈になることもある。

たとえば、シューッという音とともに自転している月を想像してみよう。

メモリー・パレス

ミシシッピ州出身の医学生、アレックス・マレンが一九秒以内に一組のトランプのカードをすべて記憶していたとき、使っていたのは、最古でしかももっとも有名な視覚による記憶のテクニック、メモリー・パレスの最新版だった。

メモリー・パレスは、〝場所なぞらえ法〟とも呼ばれている、次のようなテクニックだ。おぼえたいと思っているあらゆる概念についてイメージをつくり、次にそれらのイメージとなじみのある物理的な場所、たとえばあるビルの内部、とを結びつける。これがメモリー・パレスの名称の由来だ。

今、周期表の最初の五つの元素を憶えたいとしよう。メモリー・パレスのテクニックを使うとすると、最初のステップは、五種の元素のそれぞれに対応したイメージを

水素 ▶ 消火栓
ヘリウム ▶（ヘリウム入り）風船
リチウム ▶（リチウム）電池
ベリリウム ▶ いちご　ストロベリー
ボロン ▶ 雄豚

思い浮かべることになる。次にその方法のひとつを紹介しよう。

これらの例を見ると、元素に対応して、その元素をよく連想させてくれるイメージを選んでいることがわかるはずだ。たとえば、リチウムには電池というように。ほかの元素については、その言葉の発音がヒントになるようなイメージ、たとえば、ベリリウムにはいちご・ストロベリー、を選んでいる。

二番目のステップは、そうしたイメージを自分のなじみのある場所、たとえばオフィスや自宅、友人のアパート、自宅の前の通り、あるいは気に入っている公園などと結びつける作業だ。

たとえば、自宅の中を歩く筋道をつくってみる。自宅の玄関ドアから入って行くと、そこには消火器（水素を連想させる）が置いてあり、そこから水が漏れているために困った状態になっている。

次にキッチンに入ると、そこにはヘリウムガス入りの風船（ヘリウムを連想させる）が天井からぶら下がっている。

次の居間には電池（リチウム）がそのテーブルの上に置いてある。

そしてバスルームに入っていくと、そこはいちごストロベリー（ベリリウム）で床が覆われており、歩き回るたびに実がつぶされてジャムになる。

最後に、寝室に入ると、そこでは雄豚が暴れて、部屋中をひっかきまわしていた。

メモリー・パレスを使うことを思いついても、それでも、自分の御殿＝パレスの中を歩き、そして連想するものを視覚化する練習を何回か繰り返す必要があるだろう。

このテクニックをはじめて試すときには、適切なイメージを思い浮かべるのが少しばかり難しいかもしれない。しかし、物事はなんでも同じで、練習すれば上達するものだ。

記憶をするのにどんな方法をとるにしても、数日間かけて、積極的に自分自身をテストすることによって、こうした新しい連鎖を強くすることを忘れないように。

内在化によって直観を磨くには

ここまで、単純な事実や言葉のリストを記憶する方法を見てきた。しかし、記憶によってよい書き手になる道筋を描けるわけではない。

しかも、外国語を修得するためには、多くの言葉を記憶するのがよいとはいえ、それだけでは十分ではない。それらの言葉を、早口で話しかけられたときでも、よどみなく認識する能力もまた要求される。さらには、すばやく直観的にそれらの言葉を意

キーポイント

問題解決のための直観を磨く方法は、
“自分自身の内側”から解を引き出そうと努力することだ。
是が非でも解を得なければならないときに限って、
解法の次のステップだけは覗いてもよい。
そして、そのあとで、もう一度その問題にあたって、
覗かなくてもすべてこなせるようにしよう。

味のある文章に組み上げる力も必要だ。
科学や数学そして工学の領域でこうしたことに酷似した難問に遭遇することがある。たとえばフーリエ級数を使って回路の問題を解く必要に迫られたときなどがそれにあたる。

こうしたさまざまなタイプの状況のもとで、すばやくそしてよどみなく考えるためには、内在化と呼ばれているものが必要だ。

何かを記憶しているとき、それが意味することとそれを活かすためのさまざまな方法の両方を必ずしも考えているわけではない。

しかし、何かを内在化しているときには、自分の直観を磨いているのだ。つまりその直観とは、未経験の

難問にぶつかったとき、その対処方法をすばやく教えてくれるささやき声のことだ。次に紹介するいくつかのテクニックを使って、回収作業と交互配置を組み合わせれば、直観が磨けるはずだ。

数学と科学の分野で
問題解決の直観を磨くための内在化

問題解決中に内在化するためには、文句なしの本物の解（単に数量的な答えではなく）が用意されているところで問題に取り組もう。しかし、その解そのものや解法手順の説明を見てはならない。その代わり、自分の内にある声を聞こう。

最初の解法ステップのささやき声を感じたり聞いたりできるだろうか？　もしでき

るなら、すばらしい。その最初のステップを実行しよう。

もし懸命に努力しても、自分の直観からの言葉が聞けないなら、覗き見をしてから、最初のステップを実行しよう。そして、次のステップには自分の力で取り組んでみよう。

こうして次々にステップを踏みながら、問題の決着先へと向かっていく。もし必要なら――そして自分が正しい手順で解にたどり着いたことを確認し終わったときには――(正しい手順を)覗き見をしよう。

もし対象が難物なら、ある問題をはじめて解こうとするときには、実際にすべてのステップで覗き見をすることになるかもしれない。それでかまわない。**問題をステップごとに紙に書くことによって、最後まで問題の答えを書くことに取り組むべきだ。**ステップを省略してはならない(時には、とくに難しいステップを見て、「なぜ、これを実行したんだろうか?」と自分に問いかけることが役に立つこともある。重要なステップの〝なぜ〟を少しばかり意識することによって、ステップの流れをより深く理解し、そのおかげでさまざまな変化に対する準備ができる。)

そしてもう一度その問題にあたろう。ただし、今回は覗き見なしだ(全部が終わったあとならかまわない)。

以上の理解を促すため、例をひとつあげてみよう。

自分が選んだ問題と、それとの類似性が見られる問題やまったく異質な問題とを、一緒に内在化すると、そのとき、脳は、そうした種類の問題を解決できる直観を磨き始める。※8

言い換えれば、「括弧を外して」そして「変数のxの固まりを片側に、数字をもう片方に置く」といった単純でも重要なアイデアを脳が内在化すると、この種の問題解決に必要なパターンに対する理解を深める作業が始まる。

このより深くて広範なパターンに対する理解のおかげで、以前に解いたどんなもの

問題解決のステップ	それぞれの ステップを見ながら 考えることの例
$3(3+X)=21+X$	どうすれば簡単になる? そうか、3の掛け算だ。
$(3\times3)+(3\times X)=21+X$	よし、 カッコ内の掛け算だ。
$9+3X=21+X$	う~ん。 Xをどうして導き出すか? 9を右に動かし、 Xを左に動かせば、 うまくいく。
$3X-X=21-9$	ここでは、 単純な引き算でよい。
$2X=12$	Xを導き出すためには、 2で割ればよい。
$X=12/2$	簡単な算数だ。
$X=6$	できた!

とも一見違っているような問題に遭遇しても、それらに向き合えるのだ。

つまり、**問題解決の直観を磨くためには、多種多様な問題を、それぞれに数日をかけ、その解が一切覗き見なしに簡単に流れ出てくるようになるまで、内在化すべきということだ**（完全にひとつの問題を内在化し終わるまで、別の問題にとりかかるのを待つ必要はない）。

しだいに、与えられた問題を見れば、頭の中でさまざまな解決手順の断片を手掛かりにしながら、歌を歌うように、すばやく解法のステップを踏めるはずだ。

樹状突起スパインを引き出して神経構造を構築しているとき、
それが頭から問題解決のステップを引き出しているときだ。

**wolframalpha.com. を使えば
数学の答えをすばやくチェックできる。**

計算したいもの、あるいは知りたいものを入力すれば、
WolframのAIテクノロジーが答えを教えてくれる。
ただし、常にそれをあてにしてはならない。
計算の背後には何があるのか、理解しておく必要がある。

交互配置を始めよう

内在化のテクニックを応用する次の戦略は、交互配置をすることだ。つまり、たとえば、モジュール3の問題とモジュール7の問題を交互に扱うというように、違ったタイプの問題に交互に取り組む手法だ。

内在化の学習に交互配置の実践を取り入れれば、強固な神経系の基礎を構築していることになる。この基礎は、ある特定のテクニックを使う方法を教えてくれる連鎖をつくるだけでなく、これらの連鎖がほかのテクニックに関わっている連鎖とどのように結びついているのかも教えてくれる、そんな連鎖もつくってくれるのだ。

何を内在化すべきか?

どんな素材が内在化するのにもっとも適しているのかをどのように判断すればよいのだろうか? 絶好の手始めは、教科書で順序立てて解説してある例題に取り組むことだ。

簡単に思えるかもしれない。しかし、最初の印象よりも、巧みに練られており、しかも大切な考え方を教えてくれることもよくあるのだ。インストラクターが解説してくれた問題も、古いテストから引用された練習問題と同様に、内在化するのに非常に適している。ただしそれは、その解が正しいとわかっている場合の話だ(すでに述べたように、模擬テストへの取り組みは、テストの準備には絶好の方法だ)。※9

書くスキルと芸術的なスキルを磨くために内在化する

有名な政治家、ベンジャミン・フランクリンは文章を書く腕を磨くために内在化の手法をとった。これは読者にもマネができる。

この〝フランクリンの手法〟を使うためには、すばらしいと思う文章を見つけるのがよい。段落をひとつ選んで、その中の個々の文章にある一語か二語を書き留め、それぞれの文章の要点を思い出す手掛かりにしよう。

そして次に、これらのキーワードをヒントにして、その文章を再現できるかどうか確かめよう。もとの文章と、自分が書いた文章とを比較して、どちらがよく書けているか確かめよう。

元の文章の言葉づかいのほうが優れているだろうか？　優れた文体なのか？　もしそうなら、どうすれば自分の文章を改善できるかを学習したことになり、ほかの人の文章をただたんに記憶しているのではない、ということを認識しておこう。上手に書く術にかかわる〝自分自身の〟連鎖を、積極的に構築し始めているのだ。

このテクニックを使っているうちに、やがて、元の文章よりも優れた文章が書ける方法が見つかるだろう。

もちろん、このテクニックは文章を書くためだけに機能するのではなく、芸術、言語の修得、その他創造的な取り組みなどの場合にも、機能する。

優れた文章を書くスキルや芸術的なスキルの内在化につながる方法は、立ち止まって、すばらしい作品を生み出しているものは何かを考えることだ。

たとえば、新聞、ブログや書籍の中のある章を読んでいて、目を引く見出し、冒頭部分、段落や結末に出会ったとき、しばらく立ち止まってみよう。そして、なぜそれほどまでに惹きつけられるのかを考えよう。

また、ほんとうに気に入った写真を見ているときには、ひと呼吸おいて、それほどまで気に入っている対象はなんなのかを考えてみよう。やがてそのうちに、優れた文章とほかの作品に共通している要素がわかるようになるだろう。

こうした不文律を認識できていれば、それが、落ち着いて文章を書いたり芸術的な創作物に取り組んだりするとき、役に立つに違いない。

外国語のスキルを向上させるために内在化する

言葉の学習者はときに、自分の言いたいことを口に出すのに時間がかかる、という

言語学習のすぐれた味方	
Duolingo	語彙、語句、文章を教えてくれるアプリケーション
Italki	ネイティブの人とつないでくれるビデオチャットのプラットフォーム
Preply	Italkiに似たビデオチャットプラットフォーム
Yabla	字幕付きの映像が見られるプラットフォーム。話すスピードを緩めて、簡単に繰り返し練習できる長さの映像に分割できる
FluentU	Yablaによく似たプラットフォーム。選択できる言語が少しばかり違っている

事実に気が付いているだろうか？　内在化が、思考と言葉を話すスピードを上げ、〝もたもたする〟段階を乗り越えるための力になる。

新しい言語で考えよう

外国語で考えることによって、直観の〝ささやき声〟を進化させよう。たとえば、階段を上っているとき、「今、階段を上っている」と学習中の言葉で考えよう。

何を考えているにしても、その思考を外国語でできるかどうかを確かめよう。

現実の生きた会話をしよう

ネイティブの人と話すときは、現実にどんな話題が自分に向けられてくるかわからない。だから、直観的にそしてすばやくそれに反応する力が必要なのだ。これが、交互配置と内在化の両方の核心だ。

だから、学習するにあたっては、ネイティブの人との会話をできるだけ早く始めるべきだ。そしてできるだけ、ミスは気にしないことだ。

比喩

すでに知っている現象を取り上げ、それを新しい考え方を説明したり理解したりするのに使うときは、比喩に頼ることになる。

本書では、ここまでたくさんの比喩を使ってきた。たとえば、学習の過程でどのようにしてニューロンが強固なつながりをつくるかを説明するための〝連鎖〟、あるいは、拡散モードを説明するための〝ドローン〟がそれだ。

比喩は、ある話題の核心を単純化して把握するためのすばらしい方法だ。たとえばプログラマーは、スタック、キューあるいはツリーといった用語を使う。生物学では、ミトコンドリアが、電池のような存在だと考えられている。立派な文学作品は、比喩であふれかえっている。

完璧な比喩などひとつもない。自分の考えに当てはまらない比喩は常に気になるものだ。ドローンについて言えば、飛行を続けるため、定期的に充電しなければならない。

しかし、拡散モードは充電しなくてもよい（睡眠を考えに入れなければ！）。ポイントは、完璧な比喩を見つけることではない。理解しようとしている概念の核心部分をうまく表現できる比喩を見つけ出すことだ。

このドローンの場合、われわれが強調したかったのは、拡散モードによって、思考がひとところから、別のところに簡単に移動できるようになる、ちょうどドローンのように、ということだ。

比喩のことを考えるには、素直に「この比喩から何を思い浮かべるか、何に似ているか?」を自分に問いかけてみよう。試しに、ある友人の人となりを表現してみればよい。適当な比喩を思いつくまでには何回か失敗するかもしれない。しかし、それで構わない。比喩の候補をあれこれ検討するのに費やす時間は、難しい概念について考えるための時間なのだ。それによって、そうした概念についての理解をより一層深められる。

＊　＊　＊

技術的に見れば、比喩は直喩あるいはアナロジーとは少しばかり違っている。しかし、本書では、この比喩という言葉を使うことにしている。

新しい概念（上）と既知の概念（下）

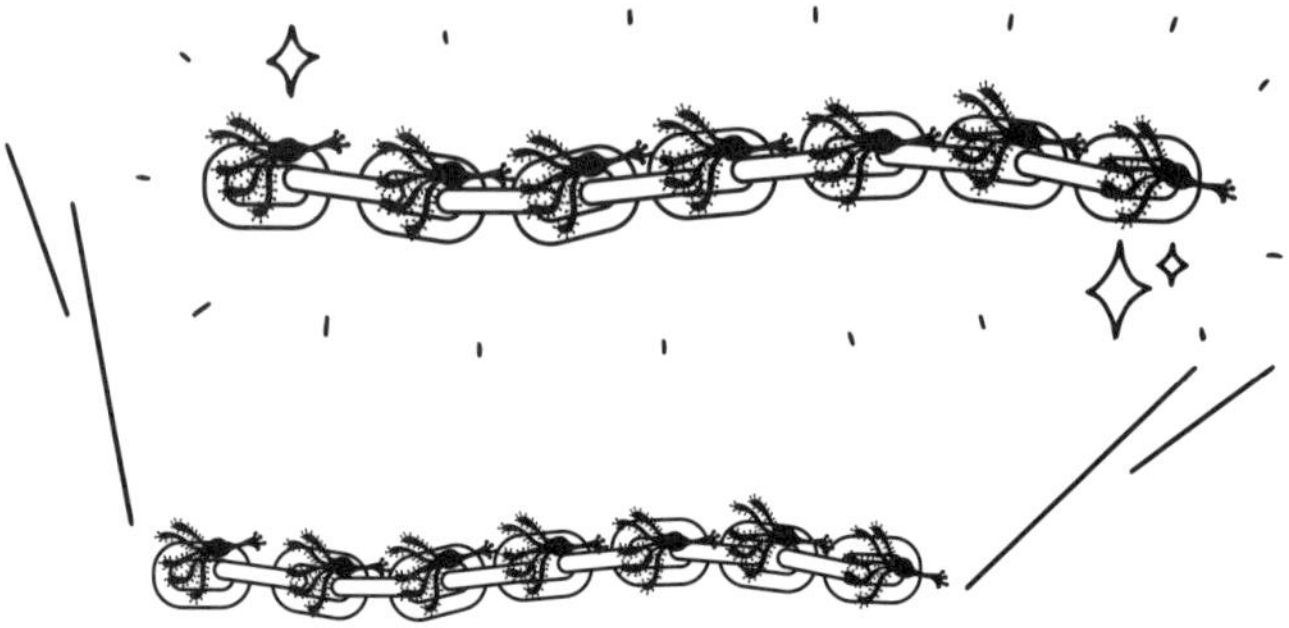

比喩は、ひとつの概念のためにつくり上げたさまざまな連鎖を、スポンジのように、吸収し、そしてそれらを使って、新しい概念のための連鎖をもっとすばやく、湿地帯のように、つくり始められるようにしてくれる。
このアプローチは、“神経再生理論”として知られている神経科学におけるひとつの概念と関連性がある。この理論によれば、ひとつの概念のためにつくられたさまざまな連鎖が再生され、別の概念を理解できるようにしてくれるという。※10

医学生のアレックス・マレンに話を戻そう。マレンは、本人の言うように、何も特別なことはない脳の持ち主にもかかわらず、記憶の世界記録を打ち立てた。

この例はわれわれに希望を与えてくれる。具体的には、われわれの記憶力を向上させたいという希望だけでなく、自制心を向上させる可能性に対する希望も与えてくれるのだ。この自律心については次の章で紹介する。

第五章のまとめ

記憶し内在化するには

記憶と理解はつながっている。肝心な情報を記憶しておくことによって、いつでもすぐにそれを想起できれば、脳の働く力は解放され、一層高次元の概念への取り組みをはるかに簡単にしてくれる。

またこれによって、学習中の課題にかかわる脳の活動パターンを形成する作業が始められるようになる。

情報を記憶するために、間隔を空け少なくとも数日かけて積極的な想起（回収作業）を実践して、自分自身をテストしてみよう。とにかくまず、自分が次のような記

憶のコツを使えるかどうか、確認しよう。

・頭字語
・文章
・鮮烈なイメージ
・メモリー・パレス

科学的あるいは数学的な問題を解くための手順を内在化しよう（記憶してはならない）。自分の内なる声に耳を傾けて特殊なタイプの問題を解くための直観を育てることを学ぼう。そして、交互配置を使って内在化された問題の多様なタイプ間の違いを理解できるよう心がけよう。

比喩は新しい概念をすばやく把握するために有効だ。

第六章

自律心がないときでも、それを発揮するには

一九一二年の一〇月、ウィスコンシン州ミルウォーキーで、大統領のセオドア・ルーズベルトが演説中に狙撃された。弾丸は大統領の胸部に当たったものの、幸運なことに、小さな冊子が盾となったため、心臓には届かなかった。

この次の瞬間、セオドア・ルーズベルトがとった行動を見て聴衆は驚嘆した。出血をものともせず、淡々と、そのあと九〇分間にわたって演説を続けたのだ。演説を終えた後でようやく医者の処置を受けたのだった。

ルーズベルトは並外れた意志力の持ち主としてよく知られていた。健康に不安のあった少年時代、ルーズベルトは身体的な能力を鍛えようと心に決めると、重量挙げ、ボクシングをはじめいくつものスポーツにいそしみ激しい運動に明け暮れた。

父親の死をきっかけに、ルーズベルトはますます勉学に励み、やがてハーバード大学をきわめて優秀な成績で卒業した。大統領在任中のときでも、書籍を毎日一冊読破していたと言われている。そればかりか、著作を三五冊執筆し、一五万通の手紙まで書いている。どうしてこんな離れ業ができたのだろうか？

セオドア・ルーズベルトは、何かを成し遂げるためのカギは自律心であり、そしてそれは、才能や教育そして知性よりも重要だと信じていた。「自律心によって、すべてのことが可能になる」とかつて語ったことがある。

しかし、自律心とはなんだろうか？　向上させられるものなのか？　お粗末な自律心の持ち主の場合には、どんなことをするものなのか？

自律心の課題

自律心とは、自分自身をコントロールする能力のことであり、これがあるおかげで、誘惑や目先の気晴らしの誘惑に打ち勝って長期的なゴールに到達できるようになるのだ。

大切な試験に備えて勉強しなければならないのに、家族や友人から一緒に過ごそうと誘われているときには、自律心がその誘惑から救ってくれる。

将来の幸せのために少しばかりの犠牲を払える能力は、ルーズベルトが信じていたように、間違いなく重要な特質だ。

さまざまな研究によれば、自律心をうかがわせる人は一般の人よりも、幸福で、健康で、裕福で、面倒に巻き込まれることが少なく、学校の成績もよいという。※1

自らが望む通りの自律心の持ち主はほとんどいない。われわれは怠けたり、衝動的な決断をし、誘惑に負けたりする。そして、あとになってから後悔するのがオチなのだ。

悲しいことに、自律心は限られた資質だ。それを充実させるための安直な方法はない。

しかし、そうであっても、現実に、役に立つアプローチがある。明らかになっているのは、**自律心の強い人間になるためのよい方法は、何はさておき、自律心に対する要求度を下げてくれる手段をとることだ。**それは、病気になってから治療を受けるよりも、病気を予防するためにワクチンを接種するのに少しばかり似ている。

言い換えれば、自律心を身につけるカギは、自律心に頼ら〝なくても〟自分の目標を達成できる道筋を見つけることだ。そのための方法をいくつか見てみよう。

厳しい選択を簡単にしよう

できるだけ簡単に正しい選択ができるようにしよう。毎週木曜日の夜にはジムに行きたいのに、そのたびに荷物をまとめて出かけるのがとてもおっくうになってしまう、としよう。

前日に用具をバッグに詰めておこう。そうすれば、木曜日の夜が来たらそのバッグを持ってすぐに出られる準備は万端だ。

あるいは、いつも帰宅するたびに決まって、宿題に手を付ける気がしなくなるとしよう。

キーポイント

意志力にほとんど頼らずに
ものごとをうまく運ぶためには、誘惑や怠け心、
邪魔になるものを取り除こう。
できるだけ簡単に始められるようにするため、
あらかじめ、自分の周囲を整理しておこう。
身につけたい、あるいは変えたい、と思うちょっとした
習慣を“ひとつ”選んで、
一生懸命そのための努力をしよう！

なら、これを試してみよう。つまり、勉強の時間が終わったら、机の上を整理して翌日の準備をしておく。机には、勉強している書籍のページをきちんと開いておき、そして一緒にペンを並べ、その横に他に必要なものも置いておこう。

毎朝決まって、目を覚ますのがおっくうだとしよう。これを解消するのによい秘訣は、目覚まし時計を別の部屋に置いておくことだ。そうすれば、起き上がらないと時計を止められなくなるからだ。

あるいは、止めるためには与えられた問題を解かなければならない仕組みになっているアプ

リケーション、たとえば、Mathe Alarm ClockやAlarmyをダウンロードしておくことだ。

誘惑や怠け心を排除しよう。**ある研究によると、自分の周囲から誘惑を排除している学生は、自分の自律心任せにしている学生よりも、よい成績をおさめる**という。※2

たとえば、もし携帯電話が勉強の妨げになっているのなら、それを別の部屋に置いておこう。そしてもし、食品の買い物に出かけると、決まって甘いものに惹かれるなら、スーパーマーケットに行くのを週に一度だけにする、そして行くにしても食事の後にしよう。

習慣を変える

あらゆる種類のものごとには習慣がついてまわるものだ。たとえば、道路を横断するとき、立ち止まって確かめるのはごく自然の行為なので、それをまったく意識することはない。

事実、これが習慣というものだ。習慣には、自分が何をしているのかまったく意識することなしに身につく一連の神経リンクをつくり出す作用がある。

この〝脳の自動操縦〟モードは習慣の力だ。このおかげで、脳が働くエネルギーの節約になる。

できるだけ意志力に頼らないようにするためのよい方法は、ほめられない習慣を抑え込むことだ。

どうすればそれができるか？　まず、自分が望まない習慣のひとつを取り上げ、何がその習慣の引き金になっているかを見極めよう。

そして次にその引き金を取り除くか、それに対する自分の反応を変え

習慣は諸刃の剣だ。仕事や学校から帰宅するとテレビの前に座り込むのか、それとも宿題にとりかかるのか。どちらにするかは、本人の習慣次第だ。

るか、そのどちらかの方法を見つけ出そう。たとえば、空腹になったとき、決まって食べすぎてしまうのか、それとも不健康な食品に手を伸ばすのか？　お腹がすきすぎる前に、軽食をとってみよう。

習慣を変えるには努力が必要だ。習慣を形成するためにかかる期間は、少なくともある程度の自律心が必要で、二か月前後になるかもしれない。※3

しかし、**好ましい習慣を身につけることによって、貴重な自律心を保ちながら、同時に一層生産的な人間になれる。**たったひとつの習慣に取り組んだだけでも、驚くほどの成果があがるものだ。

たとえば、バーバラという女性が仕事に着手せずにぐずぐずしているとき、二五分のポモドーロ実践の習慣を思い出す。本人はその仕事をどれほど毛嫌いしているかを考えない。それを忘れて仕事を始める。仕事を始めながら、ポモドーロが終わったときの見返りがどれほど楽しいものかを考えているのだ。

目標を立て、障害を見極めよう

一九九〇年代、ドイツの心理学者ペーター・ゴルヴィツァーは、人々が自らのめざすゴールに届かない理由を理解しようと試みた。

明らかにしたのは、ゴールに到達しようという強い欲求だけでは十分ではないという事実だった。

そこで必要になるのは、**いつ、どこで、そしてどのようにして自分のゴールに到達するかという計画だ。しかも、邪魔になるものにどのように立ち向かうのかという計画も必要になる。**

ある研究によって、ゴルヴィツァーとその仲間は、次のことを明らかにした。つまり、いつどこで勉強するか計画を立てた学生は、計画を立てなかった学生よりも、勉強した時間が五〇パーセント長かったという事実だ。※4

また別の研究では、勉強の邪魔になるものに対してどのように反応するかをあらかじめ考えていた学生は、考えていなかった学生よりも、重要なテストに備えて取り組んだ練習問題の量が六〇パーセント多かったという。※5

また別のドイツとイギリス出身の研究者による調査では、いつどこで勉強するかも含めた計画を立てていた調査対象学生の九一パーセントが、その勉学の目標を達成したことが明らかになった。※6

月曜日と火曜日におこなわれる重要な最終試験に備えて、週末をつぶして最後の復習をする必要に迫られているとしよう。しかもこれと同時に、その気にさせられそうな活動が待っている。自律心は働いてくれそうか?

ゴルヴィツァーの研究によると、いつ、どこでそしてどのように勉強するかという計画を立てれば、うまくいく見込みはずっと大きくなるという。たとえば、土曜日と日曜日の朝一〇時から夕方の六時まで、図書館の片隅で缶詰めになって勉強する計画を立てればよいのだ。

誘惑にどのように反応するかを考えていれば、うまくいく見込みはずっと大きくなる。

ある友人から、パーティーに誘われたとしよう。このように答えたらどうか「ごめん、ほかに予定があるので」（あいまいな答えでとどめよう。そうすれば、相手はとかく、〝それでも〟と説得しようとするものだが、それが難しくなる。なぜなら、詳しいことがわからなければ、彼らには具体的な反論の手掛かりが見つからないからだ）。

あらかじめ、邪魔になるものに対する反応を考え練習しておくと、あとで本物の誘惑が襲ってきたときに、そうした反応が自然に、そして簡単にできるようになる。

再充電を忘れないように

どんなにがんばっていても、いつも、どこまでいってもまだまだ足りないという心境に簡単に陥ってしまうものだ。これでは燃え尽き状態へ一直線だ。

ここで大切になるのは、人生を楽しむ時間を別にとっておく、愛する人と一緒に過ごす、そして楽しい時間を過ごすことだ。予定表の中に休みとご褒美の時間をつくって入れておけば――たとえば、毎晩六時から九時の間は勉強をしないというように――それによって、実際に勉強している間、これ以上ないというほど集中できるようになる。

学習と仕事には過度の負荷がかかるため、休む時間をとるのが難しいときもある。そんな場合には、先の楽しみにできるものを見つけよう。

たとえば、われわれが知っている医学生の場合には、学習しなければならない情報の洪水に飲み込まれそうになっていながらも、毎週、好きなテレビ番組を見る一時間という時間を生きがいにしていた。

周りの人を巻き込もう

本書を書くにあたって、オラフは日常的にバーバラに電子メールを送信し、原稿の最新版をいつ送れるのかを知らせていた。

バーバラはオラフに原稿の催促をしなかったし、それは急ぎの仕事でもなかった。それならなぜ、オラフはメールを送ったのか？　オラフはこう考えている。数日以内に仕事を完成すると誰かに約束すると、切迫する気持ちになり、その勢いで、仕事を仕上げられるのだ。

自律心が要求される勉強に取り組むときは、周りの人を巻き込むことによって意味のある期限や義務感を自分自身に課せられるかどうかを考えよう。

土曜日に勉強しなければならないのに、それが難しいとしよう。同じ立場の人を、

読書の知恵

何冊も本を読みたいのに、
それがとても難しいと思ったときは、
たとえば、一日に20ページといった目標を設定しよう。
その年の終わりには、20冊以上読破できているだろう。

具体的にはやはり土曜日に勉強する予定を立て、一緒に机を並べて勉強してくれるという人を、見つけよう。こうした周りの人に対する義務感によって、勉強が最後までできるようになる。というのも、約束をどうしても守りたいと思うからだ。

＊　＊　＊

ルーズベルト大統領に話を戻そう。一日一冊平均で読破していたため、当時アメリカでもっとも読んだ書籍の数が多い読書家だったのかもしれない。[※7] しかし、読書という話になると、ルーズベルトには読破するための自律心が必要だったわけではない。なぜか？　ルーズベルトは読書が大好きだったから！

大して意欲のわかない仕事に取り組むためには、自律心がどうしても必要になるのは間違いない。勉強への意欲を高められるなら、それが何にも増して最高の治療法だ。

したがって、次の章では、この意欲のきわめて重要な役割に注目することにする。

第六章のまとめ

自律心がないときでも、それを発揮するには

自律心は成功するために大切なものだ。しかし同時に限られた資源でもある。

自律心に頼らなくても、難題を克服できる方法を見つけよう。

- **自分の周りから誘惑、怠け心、そして邪魔になるものを取り除こう。**そしてできるだけ簡単に正しい決断を下せるようにしよう。
- **習慣のきっかけになっているものを見つけ、それに対する反応の仕方を変えること**

で、学習する能力を損ない続けているのかもしれない今の習慣を変えよう。

自分のゴールを設定し、あらかじめ邪魔になるものを見きわめ、そしてその邪魔に対する理想的な反応の仕方も見きわめよう。

自分の義務感を高めるために、周りの人を自分の仕事に巻き込もう。

第七章

自分自身をその気にさせるには

トム・ソーヤは目の前の大きな木の塀を見つめていた。その足もとには、ペンキの入ったバケツがあった。その塀にペンキを塗るためだ。

トムはため息をついた。いつもなら、そのころには、外でわんぱくぶりを発揮しているはずだった。ところが、学校をさぼって泳ぎにいった罰として、おばさんの家の塀のペンキ塗りを言いつけられたのだった。

深くため息をつくと、その厚板材の塀に向かって退屈な仕事を始めた。はけを右に左に動かす、そしてまたペンキに浸ける、そんな作業の繰り返しだ。もっと面白くないことに、通りがかりの子どもが、立ち止まってトムをからかった。

ところが、この有名な物語マーク・トウェイン著『トム・ソーヤの冒険』を読み始めて数分の間に、トムは通りがかりの子どもたちにひとり残らず塀のペンキ塗りをさせていた。

それどころか、子どもたちには、ペンキ塗りをさせてもらうために、トムに贈り物をしなければという気にさせていた。トムはどうして子どもたちをその気にさせたのだろうか？

それは努力のたまもの

学業でよい成績をおさめたいと考えているとしよう。するとそれは、勉強する意欲に満ち満ちているということだろうか。必ずしもそうではない。**意欲というのは、あるものに対してどれほど強い〝欲求〟があるのかということではない。それは、それを手に入れるために、自発的にどれだけの〝努力〟を傾注するかという話だ。**

努力をしようという自発性を生み出すものは何か？　研究者は神経伝達物質のドーパミンが重要な役割を演じていると考えている。さらに、ラットは、感情にかかわる脳の領域でドーパミンのレベルが高くなると、餌をとろうとして体を激しく動かすことも明らかにした。※1　その後の実験によって、人間もまたドーパミンの誘導を感じ

ると動きが激しくなることが明らかになっている。※2

つまり、ドーパミンは、エンジンにターボチャージャーを追加するようなものなのだ。つまり馬力をつける。そこで、特殊なワイヤを脳に差し込んで電気的な刺激を与えれば、意欲刺激役のドーパミンの流れを増やせるはずだ（そうだ、ラットには有効だ！）。

それでも、われわれは、電気的刺激よりもすぐれたそして安全な方法に目を向けることにする。

パーツの集合体としての意欲

トム・ソーヤに話を戻そう。何回か失敗を繰り返したあと、トムは一計を案じて、通りがかりの子どもたちに、トムのために塀のペンキ塗りをする気にさせた。

われわれはとかく、意欲というものは〝持ち合わせているもの〟そうでなければ

意欲をわかせ、維持するために
学習における価値を見出そう
働いて達成感を味わおう
ゴールを設定しよう
人と一緒に働こう

〝持ち合わせていないもの〟のどちらかだと考えがちだ。
しかし、トムが気づいたように、**意欲は知的な企みによって、わきあがらせる、強くできる、そして持続できるものなのだ。**

そうだとすると、自分自身をその気にさせるためには何が必要なのか？　それは、クルマを前に動かすためには何が必要かという問いかけと少しばかり似ている。エンジン、ガソリン、オイル、タイヤ――などなど、多くのものが必要だ。

同じように、意欲に影響を与えるものがたくさんある。この章でわれわれは、価値を見つけること、達成感を味わうこと、ゴールを設定すること、そしてほかの人たちと一緒に仕事をするといったことが、いかに、難しい仕事に取り組むためのエネルギーと意欲を高めてくれるかを探求する。

これらの要素を理解できれば、環境が厳しくなるときでも、意欲をわかせ、なおかつそれを持続できるようになる。

価値

自分にとって何があるかを見極めよう

われわれは、自分にとって楽しいあるいは益があるような活動に意欲的に時間を割く。

スペイン語を学習していても楽しくもない、役に立つとも思わない、しかも成績にはこだわりがないという場合には、学習意欲をわかせようという気にはなかなかなれないものだ。

ある活動が自分にとって楽しく益があるものだと思うかどうかは、その本人の考え方に大きく左右される。だからこそ、たとえば二人の学生を比べた場合に、同じ課題に取り組んでいるときであっても、意欲という点で大きな違いが生まれるわけだ。

さいわいなことに、自分の考え方は変えられる。これはオラフが高校時代、繁盛しているレストランで皿洗いのアルバイトをしていたときに気が付いたことだ。週に二回、オラフは午後四時から午前二時まで休みなく働いた。学習と、暑すぎるレストランの厨房での重労働とを比較すれば、学習などまったく苦にならなかったのだ。

考え方を変えることはまた、トム・ソーヤが周囲の人間に塀にペンキを塗る気にさせた手法ともつながっている。

トムが認識していたのは、人は手に入れるのが難しいものほど欲しがるもの、という事実だ。だから、トムは、ペンキ塗りを平々凡々な仕事から〝一生に一度の〟チャンスに変貌させたのだ。

友だちのベンと話をしているとき、トムは塗る作業をあえて〝仕事〟と言わずに、ペンキ塗りは楽しいものだと言った。ベンがちょっと試しに塗らせてくれないかと尋ねたとき、トムは、おばさんが塀を塗る人間にこだわっているからと言って断った。こうして、ペンキ塗りはなかなかさせてもらえない作業だと思わせることによって、ベンを、少しの間刷毛を使ってみたい、その代わり、トムに自分が食べるつもりだったリンゴを差し出してもよいという気にさせたのだった。

トムは同意した。すると間もなく、ほかの子どもたちもみな、自分のおもちゃとの交換を条件にペンキ塗りをしたがった。

ひとつの課題について、自分の考え方の枠組みを変えるには、思いつくかぎりのよいことをすべてリストにすることもひとつの方法だ。

よいこととは、たとえば「罪悪感なしに友だちと食べるディナー」?「チームと一緒にいるときに機嫌がよくなる」？　時間をかけて理由を積み上げれば、以前には思いつかなかったさまざまなアイデアが浮かんでくるかもしれない。そうすれば、さらに意欲がわいてくるはずだ。※3

そのリストを見れば、どのようにして課題が自分をゴールに近づけてくれるかもわかるだろう。たとえば、プロジェクト管理の修了証を手に入れたいと思っている場合には、〝この一連の宿題に取り組むことによって、修了証獲得に近づける。取り組まなければ、その修了証からは遠ざかる〟と考えればよいことになる。

ある課題を何ものにも代えがたいものにするもうひとつの方法は、その課題のある一部分を仕上げたとき、自分自身に褒美を出すことだ。

褒美は、好きな音楽を聴くための休憩時間をつくる、あるいは好きなテレビ番組を見たり、友だちと付き合ったりする時間をつくるといったことで十分だ。散歩するだけでもよい（しばらく座っていた後では、歩くことで気分がよくなる）。

難しい課題や反対にたいくつな課題が与えられたときには、褒美がとりわけ威力を発揮する。これが、ポモドーロ・テクニックが強力だというもうひとつの理由でもある。しかし、休憩しているとき、携帯電話を使うのには注意が必要だ。つまり、こういうことだ。研究によれば、携帯電話に集中しているときには、必要な脳の休憩を実際にはとっていないのと同じことになるのだ。※4

達成感 進歩を実感する

達成したという感覚は、強烈な動機づけになるものだ。達成の域に向かって励むにつれ、学習は〝努力すればできる〟領域に入っていくはずだ。課題が難しすぎればイライラが募る。しかし反面、物事が簡単すぎると退屈になるものだ。

課題が難しすぎるときには、それを分割して、助け舟になるものを探す、でなければもっとよい手法や手段を見つけよう。オンラインにあるそのテーマの映像を見つけるか、オンラインの投稿フォーラムに質問を送ってみよう。

もうひとつのテクニックは〝ゴムのアヒル〟のアプローチだ。ゴムのアヒルを、あるいは自分が話しかけたいものならなんでもよい、目の前に置いて、行き詰まったときにそれに向かって大声で語りかける、そんな方法だ。

一歩後戻りして、今より低いレベルからもう一度やり直すのも手だ。たとえば、オラフの場合はこうだ。大学で微積法を履修することになったとき、その前の二年間数学を勉強していなかったおかげで、悪戦苦闘してしまった。

そこで、昔の高校の数学の教科書を引っ張り出すと、週末をすっかり犠牲にして、そこに書いてある解説を読んで微積の問題をやり直したのだ。こうして、より適当な練習問題に取り組むことができ、さらには見事に大学レベルの数学と格闘することができたのだ。

ところで、助け舟を出してもらうのが、最高のアプローチだというときもある。バーバラが大学で最初のプログラミングの中間試験に備えて勉強していたとき、何十題もの問題のリストをつくった。その答えを得るために、大学構内の指導センターに足を運んだ。

その後、いざフタを開けてみると、自分の考えた問題のほぼすべてが試験に出たのだった。時間をかけて指導センターの助けを借りることによって、成績面だけではなく、数学の主要な要素に対する理解の面でも、大いに成果が上がったのだ。これによって、バーバラの意欲はますます高まった。

挫折とどのように折り合いをつけるかも重要だ。挫折を失敗だと考えてしまうと、あっという間に意欲は低下する。それよりもむしろ、**挫折を学習と成長のための貴重な機会だと考えるべきだろう。**

ゴール　何かをめざそう

オラフが腕の負傷からの回復を目的に、水泳を始めるように言われたとき、狭いレーンを往復するだけの泳ぎは楽しくないと思った。そこで、泳ぎの退屈さを払拭するためには、一回ごとに距離一キロのゴールを設定すると完璧にうまくいくことに気が付いた。絶えず泳ぐ距離を頭に置いていると、一キロを刻むたびにとてもいい気持ちになったという。

目標＝ゴール、の設定は、意欲をわかせてくれる絶好のツールだ。**長期的なゴール、マイルストーンとなるゴール、そしてプロセスのゴールを設定する**ことを勧めたい。

長期的なゴール

長期的なゴールは、自分をわくわくさせてくれ、それを思い浮かべるたびによい気持ちにさせてくれるものにすべきだ。

たとえば、いつかは医者になる、世界中を旅行してまわる、あるいは、自分のビジネスを立ち上げる、といったものがよいだろう。**長期的なゴールを象徴するような写真や物理的なものを手近に置いておこう。**それが、思い出すための役割を果たし、ときにはイライラさせられるゴールまでの道のりで、我慢しようという気持ちを持続させてくれるのだ。

長期的なゴールがあれば、〝心理対比〟という動機づけのテクニックも使える。これは、たとえば現在の自分の生活と、長期的なゴールに到達したときの生活のあり様とを比較する、そんなテクニックだ。※5

長期的なゴールが医者になることだとしよう。ところが、今はまだ、夕食にマカロニとチーズの質素な食事をしている学生だ。あまり楽しくもないアルバイトに精を出し、勉学についていくのが難しいと感じている。

そこで、目を閉じて医者として送る日々の生活の様子を視覚化してみよう。そのときの日常生活の様子を想像してみる。つまり、どこに住んでいるのか、どこで働いているのか、そしてどのように仕事に出かけて一日が始まるのかを想像する。この将来と現在の対比が、ゴールに向かうための努力を持続させてくれるエネルギーになるのだ。

意欲をわかせるものとして、否定的な対比を使ってもよい。たとえば、バーバラは二〇歳代の後半、気持ちを切り換えて工学の学習に取り組もうという気になったものの、簡単にはいかなかった。その決意が揺らぐときもあった。しかしそんなときには、陸軍で二等兵として勤務していた時代に味わった気持ちを思い返すことにしていた。

つまり、陸軍では自分のキャリアの将来についての思いをあまり言えなかったのだ。

二度とそのような状況に陥りたくはなかった。工学はバーバラに、はまり込みたくないと思った決まり切った仕事の繰り返し状態から抜け出すための格好の道筋を与えてくれたのだった。

マイルストーンとなるゴール

長期的なゴールもまた、近い将来の**マイルストーンとなるゴール**のいくつかで補強されているべきだろう。つまりこのゴールは、長期的なゴールにつながる道程で、重ねていく足取りとしての役割を果たしてくれる。このようなゴールは、ある一定の成績評価への到達に、そしてまた個人的な対象のゴールになってもよいだろう。

プロセスのゴール

次に、マイルストーンとなるゴールは、**プロセスのゴール**に支えられているべきだ。

適切なゴールはSMARTだ	
S	具体的
M	計測可能
A	野心的
R	現実的
T	時間に制限

つまり、プロセスのゴールとは、マイルストーンとなるゴールに向かっていくその過程がわかる実効性のあるゴールのことだ。〝毎日一時間数学を勉強する〟あるいは〝毎日新しい単語を一〇語学習する〟が、このプロセスのゴールの例だ。

まず間違いがないのは、長期的なゴールをはじめ、マイルストーンとなるゴールそしてプロセスのゴールはどれも、**SMARTであれば、つまり具体的、計測可能、野心的、現実的、そして時間に制限、であれば、より一層意欲をかき立ててくれる**ことだ。※6

言い換えれば、自分のゴールをしっかりと確立させ、間違いなく進歩と達成の状況を計測できるようにしなければならない。

ゴールは少しばかり難しくても、達成できないほどではないものにすべきだ。

さらには時間制限を設定できなければならない。たとえば、〝うまくこなす〟というゴールは、ＳＭＡＲＴなゴールではない。なぜなら、それは具体的ではなく、計測が困難であり、時間制限もないからだ。

これに対して、〝次に与えられる機械に関する学習課題でＡの成績をとる〟はＳＭＡＲＴなマイルストーンとなるゴールになりえる。これは〝これから五日間、毎日この課題に四五分間取り組む〟がＳＭＡＲＴなプロセスのゴールになりえるのと同様だ。毎週一キロメートル泳ぐというオラフのゴールも、ＳＭＡＲＴの基準に合っている。

協力者を見つけよう

映画を見る、散歩をする、そして食事をするといった行為はどれをとっても、好きな人と一緒なら、さらに満足感の大きなものになる。なぜならそれは、人というもの

学習グループを組織する

学習をしやすくしそして意欲を持続させるための
優れた方法だ。学習の材料について議論し、
ほかの人の考えを聞くことによって、
その材料のキーポイントに迫る洞察が開ける。

は生まれつき、社会的な人間関係を築き、周りの人の愛と尊敬を確保したいと思うからだ。※7

だから現実に向き合おう。学習は、もし誰かが一緒に付き合ってくれたら、もっと楽しめる。もし友人のうちの何人かが学習に真剣に取り組んでいるとすれば、もっと好都合だ。

どのようにして、そうした友人を見つけるか？　オンラインのクラスを受講している場合には、議論のフォーラムを注視してみよう。そうすれば、大いに助けになる人物に会えるはずだ。

もし現実の教室で勉強しているなら、気を付けて、よい質問をする学生に目をつけよう。恥ずかしくても、あえてその人物に歩み寄り、自己紹介し、そして、クラス全員の前では恥ずかしくて言えない質問をぶつけてみるのをきっ

かけにして会話を始めれば、それだけのことがあるはずだ。

難しい課題に取り組んでいるなら、学習仲間か少人数の学習グループを見つけると、背中を押してもらえる。課題は以前とまったく変わらないにしても、ほかの人たちと一緒に考え方や問題に取り組めば、試合に勝つために力を合わせているフットボールのチームと同じように力がわいてくるものだ。

もし仲間が意欲満々で前向きな姿勢を見せているなら、そのやる気のある部分が自分にも乗り移ってくるかもしれない。動機の伝播という現象だ。※8

また、ほかの人と一緒に学習すると、より深みのある学習ができるようになるかもしれない。というのも、自分の考えで間違ってしまっているところを指摘してもらえることもあるからだ。

一緒に学習するために集まる場合には、必ずそうしよう。もし集まれないなら、ひとりで学習し、その後で友人に会って社会的な活動をしよう。

最後にまた、トム・ソーヤの話をしよう。トムは、手伝いを頼んだり、周りの人に報いたりしながら、やる気を起こさせる工夫をいくつも試したあげく、使える策略を見つけ出した。

しかもその中には、もうひとつ、動機にかかわる重要なポイントも見受けられる。やる気を起こさせる策略はたくさんあるのだから、その中から自分にとって最高の策略を見つけるために、少しばかり実験をする必要があるのかもしれない。

＊　＊　＊

次の第八章では、学習のもっとも常識的な方法のひとつ、読書によって成果を上げる方法を紹介する。

自分自身をその気にさせるには

意欲とは、生来、自分にあるものでも、ないものでもない。さまざまなテクニックを使って、つくり出すものであり、高めるものであり、そして持続させるものだ。

自分自身をその気にさせる最高の方法は、意欲を低くしている原因しだいで、色々と変わるものだ。したがって、さまざまに違った戦略を試すのが賢明だ。

課題を仕上げたときの利益をすべて思い起こそう。

難しい課題を仕上げたときには、自分自身に褒美を出そう。

課題の難易度が自分の持っているスキルに見合っていることを確認しよう。助けを借り、課題を分割しよう。でなければ、もっと時間をかけよう（もしできるなら）。

心理対比を使おう。肯定的そして否定的の両方の対比だ。

自分自身のゴールを設定しよう。それらは必ずＳＭＡＲＴ（具体的、計測可能、野心的、現実的、そして時間に制限）でなければならない。

目の前のテーマに同じように関心のあるほかの学生を自分の周囲に集めよう。

第八章

効率よく読書をするには

二〇〇七年、速読のチャンピオン、アン・ジョーンズはあるロンドンの書店で椅子に腰かけ『ハリー・ポッターと死の秘宝』（J・K・ローリング著、松岡佑子訳、静山社、２００８年）を読み始めた。

四七分後には全編七八四ページを読破していた。このペースで考えると、ジョーンズは毎分四二〇〇語を読んでいたことになる。平均的な人のおよそ二〇倍の速さだ。

もし、われわれも、内容を理解しながら同時に読書のスピードをせめて二倍か三倍にできるなら、それはありがたい話だ。しかしそんなことができるのだろうか？

ほんとうに速く読むにはどうするか、なぜ速読のテクニックは効果がないのか

効率的に読書をするためにできることをもっとよく理解するためには、まず、少し

ばかり読書のプロセスそのものを知っておくとよいだろう。

たとえば、ｃａｒという単語を目にすると、すぐにこの単語を認識する。次に、声に出さずに発音して、つまり頭の中で言ってみて、そして最後に、その単語が表すアイデアや概念に変換する。※1

ある単語を認識するため、目はおよそ〇・二五秒間静止してその単語を見つめる。そして、次の単語に視線を移すと再び静止して見つめ、また次の単語へという動作を繰り返す。それらの視線移動にかかる時間はそれぞれ〇・一秒以下だ。

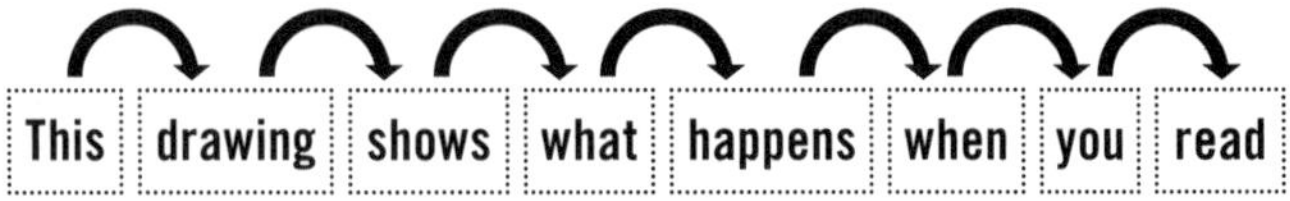
This
drawing
shows
what
happens
when
you
read

読書しているとき、
目は単語を見つめるための静止と次の単語への
視線移動とを交互に繰り返している。

速読プログラムの中には、視線移動と静止の回数を減らすことによって、読書スピードが上げられると喧伝しているものもある。

そうしたプログラムでは、同時に三語読めと言う。また、アプリケーションを使っている人に対しては、一度に三語をディスプレイ上に瞬間的に映し出し、全体的な視線移動の回数を減らそうとしている。

しかし、ある研究によれば、脳は視線移動中に直前の単語の処理をしているのだという。※2 移動が速度を落とす原因ではない。全体を遅らせているのは、脳の処理作業だ。つまり、単語を認識する、頭の中で発音する、そしてアイデアや概念に変換するそうした処理の作業だ。

This drawing shows
what happens
when you read

速読プログラムはしばしば、一度に3語を見つめて視線移動の回数を減らすことを勧める。しかし、目の動きを減らしたからといって、脳の処理が速くなるわけではない。

だから、視線の静止と移動の回数を減らすことによって読書のスピードを上げようとしても、それは、読書のスピードを抑制している真の元凶に対処していることにはなっていない。**もっと速く読みたければ、単語の認識と概念への変換のスピードを上げなければならない。**そのためには、豊富な語彙、教養知識、そして豊かな読書経験が必要になる。

効率的な読書は、理解力につきる

語彙と知識を豊富にすることで読書のスピードは上げられるにしても、そこには限界があるようだ。

ある研究によれば、全体の一パーセントに届かない数の人たちは、理解の欠落なしに、一分間に四〇〇語以上読めるという。

世の中一般の読書の場合、大半の人にとって〝心地よい〟読書のスピードは一分間に一〇〇から三〇〇語といった程度だろう。しかし、それで結構。なぜなら、**効率的な読書の要諦は速度ではなく、読んでいる内容の理解とその記憶**だからだ。

難解な技術関連の文章を数多く読んでいると、技術とは無縁の文章の場合でも普段の読書のスピードが落ちているのではないかと思うかもしれない。これはしごく当然のなりゆきだ。ついでに言えば、少しばかりスピードを落とすことによって、よく理解できるようになるのだ。

アン・ジョーンズはどうして一分間に四二〇〇語のペースでハリーポッターの全編を読破したのだろうか？

ジョーンズの理解の程度は、科学的に計測されていないことに注目すべきだ。記者に本の要約を披露してみせただけにすぎない。

読書の専門家が議論したように、ジョーンズにこれができたのは、すでにハリーポッターの既刊書を読んでいたから、そしてあれやこれやの情報の断片をもとにして書籍を要約する練習を数多く積んでいたからだ。※3 果たして、この同じテクニックを使って、ジョーンズがベクトル解析の教科書を同じようにすばやく読破できるだろうか？ それには疑問が残る。

内容を予習しよう

ジグソーパズルを仕上げる作業は、事前にその完成形を目にしていたほうが、ずっと簡単だ。同じように、新しい章をざっと見て〝大きな絵〟を描くことによって、その細かな内容に踏み込む前に、どんな内容が待ち受けているのかをたやすく把握でき

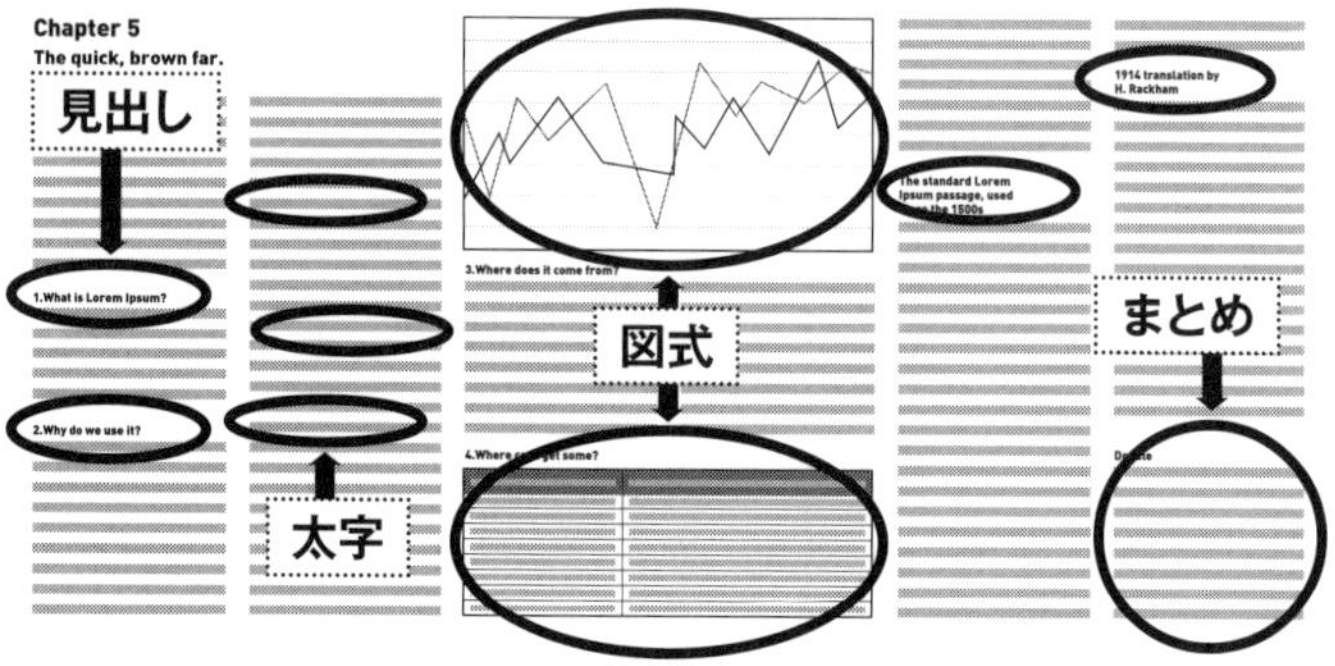

文章の予習をするというのは、その書籍の全体と構成にざっと目を通して、
その文章の大きな絵を描くことだ。

る。

全編を読み始める前に、何分間か時間を割いて、まとめ、章の結論、章末の問題、太字の見出し、さらには写真とキャプションなどにざっと目を通そう。大きな絵はどのようになるのか、その章の展開はどうなるのか？

そうしたすばやい予習からは、多くのことが学べているわけではないと感じられるかもしれない。しかし、ここでのポイントは、普段のスピードで読んでいくうちに、役立つような枠組みを構築することにある。もし読んでいるうちに細かいところで訳が分からなくなったと感じたら、もう一度予習をして、その大きな絵を思い出せばよいのだ。

受動的な読書の実践は避けよう

手もとにあるコンピューター・フォレンジックの教科書の新しい章を修得すると決めたとしよう。

読んでいる内容の一部に印をつけると、自分がその文章に積極的に向かい合っている気になってくる。

あとで同じ章を読み返すと、今度はその内容がもっとわかりやすいと感じるものだ。その内容を自分の脳裏に確実に焼き付けていると考える。

しかし、直観というものはあてにならない。たとえばこうだ。読んでいる文章に印をつけるときには、手の動きに関係している脳の部分を働かせている。これが、自分は何か積極的な行動をしていると感じる理由だ。

ところが、脳の〝自分の手を動かす〟部分は、必ずしも、概念的な理解につながる学習の鎖が形成されるところではない。**言い換えれば、印をつける、あるいは下線を引くのは、いわばなりゆきだ――長期的な記憶の中に学習のニューロンの輪をつくり出すために、大した役割を果たしているわけではない。**

はじめて読み終わったすぐそのあとで、その章を読み返すことによって、よくわかっているという勘違いが起こる。言葉をなじみ深く感じられるものの、ほんとうにその内容と真剣に向き合っているわけではないのだ。いわゆる〝素直な誤信〟だ。ニューロンが結合をつくるよう強制されているわけではない。

これと同じような意味で、電気工学テクノロジーの指導者、キャロル・デービスは次のように書いている「読み返すことによって、積極的に学習できたはずの時間が奪い取られ、まったくどこにもたどり着かないままに、永遠に学習し続けてきたように感じてしまうのだ」。※4

もし読み返したければ、少なくとも一日か二日あける。そして積極的な読書法を使ってその読み返しの効果を上げよう。

〝思い出す読書〟を実践しよう

積極的に読書をする最良の方法に、本書でこれまで議論してきたテクニックを使うということもある。つまり、〝思い出す〟ことで、これをよく、研究者は〝回収の実践〟と呼んでいる。※5 この思い出すテクニックによって、肝心なアイデアを記憶できるだけでなく、理解を一層深められるようになる。

ある研究が、読み返すことと思い出すこととを比較することによって、思い出すことを選んだ学生は一週間後、読み返すことを選んだ学生よりも文章の二五パーセント以上を記憶していたことを明らかにした。※6

また別の研究では、内容を一度だけ思い出した場合には、長期の記憶が二倍に伸びるのに対して、繰り返し思い出した場合には、記憶は一度だけ学習したときに比べて四〇〇パーセント向上したという結果が明らかになっている。※7

ここまでは、ざっと読んでいる間は思い出すテクニックを使おうと述べてきたが、ここで次のように、もっと明確な提言をしよう。つまりこうだ。できるだけ注意深くページ全体を読んで、重要なアイデアを拾い上げるようにしよう。そして、ページから目を離して、拾い上げた肝心なアイデアを口に出すか、書き出すかしてみよう。もしできなかったなら、読み返してからもう一度試そう。翌日に再び思い出すと、もっと力になるはずだ。これによって、情報を長期的な記憶の中に定着させたかどうかが確認できる。

これはまた、ノートを使ってもできる。自分のノートを読み返すよりも、そこに書いてあることを〝思い出して〟みよう。あるいはまた、あとで参照できるまとめを書きとめ、試験に備えた学習ができるようにしよう。

文章のことを考えよう

今読んでいる内容の理解を深めるためには、その内容について積極的に考え、自分がすでに知っていることとつなげる方法を見つけることが何にもまして重要だ。これを実践する方法はいくつもある。

ときおり立ち止まって考えをめぐらし、自分自身の言葉で読んだ内容をまとめ、第三章で紹介された緻密なテクニックを使う、あるいは、その内容について議論ができる相手を探すことだ。

文章に関する問題に答えよう。もし読んでいるものがテクニカルな内容だとしたら、問題集で練習しよう。文章について積極的に考えるこうした方法によって、理解度が向上するだけでなく、細かいことをますます記憶できるようになるだろう。なぜなら、記憶と理解は互いにつながっているからだ。※8

積極的な読書のためのすばらしい戦略

注釈

読んでいるときに、ちょっとしたコメントや疑問を書きとめておくこと、つまり〝注釈〟は、積極的な読書のためのすばらしい戦略だ。文章を復習したり見直したりするのも簡単になる。※9

もしある文書をデジタル機器で読む場合には、世の中に出回っている〝コメント／注釈用ツール〟を使えばよい。紙面上の文章を読む場合には、ちょっとしたメモをページの余白に直接書き込めるし、ポストイットのメモや、別のメモ用紙も使える。どんなメモをとるべきか、以下に紹介しよう。

・重要なアイデア、これをできるだけ短い言葉で書き換える
・概念相互の関係
・自分自身の例あるいは参考になるもの
・理解できない情報、あるいは明確化が必要な情報
・主要な段落のまとめ
・試験に出そうな問題

この戦略のもっとも重要な部分は、自分自身の言葉で書いたメモを必ず残すことだ。内容を文字通り別の言葉で置き換えて表現する作業によって、文章の内容をただ書き写す場合よりも、その内容についての理解が一層深まる。

大きな絵で示す概念とともに、細かな内容にも目を向けよう。内容について深く理解するためには、両方が必要だ。

しかし、あいまいで抽象的なまとめは禁物だ（たとえば、〝さまざまに違った葉の

種類を見分ける〟）。そうではなく、具体的に書く「葉縁の五種のタイプ　全縁＝平坦、深波状＝湾曲／波……」。

読書の注釈をすべて付け終わったら、その読書について**三から五項目のまとめ**を書こう。もし肝心なアイデアを明瞭に表現できなければ、自分の書いた注釈を見直して、もう一度まとめを書くことに努めよう。

もしそれでも読書のまとめができなければ、不明瞭なセクションを読み返して、読んだ内容のメモを付け加えよう。

膨大な量の文章、難解な文章に取り組むには

オラフはかつて、〝ニーナ〟という心理学専攻の大学生を指導したことがある。読書が追い付かずにお手上げ状態だったからだ。

このふたりが一緒に、読まなければならない書籍や論文を全部積み上げてみると、たとえ読書に専念したとしても全部を読破するには、まるまる三か月かかることがわかった。

ニーナがとても読み切れないと感じていたのは当然だった！　そこで、目の前の書籍や論文を〝必読〟と〝読むのが望ましい〟とに分類した。これによって、研究の優先順位が付けられた――最後には期待以上の成果を上げることになった。

大学水準の学習をしていながら読書でお手上げ状態になっている場合にも、これと同じことをすればよい。

指導者か、あるいは前年に同じ課程を受講した学生に、アドバイスを求めればよい。つまり、どれが必読であり、そして非常に推奨される、また参考になる内容なのかのアドバイスだ。たとえば大学の場合、書籍にはしばしば履修している課程よりも多くの内容がおさめられているので、重要な章、あるいは章の中の重要な段落を特定することが、多くの学習時間の節約につながる。それでもまだ分量が多すぎるという場合には、ほかの学生と手分けして、それぞれがまとめた内容を互いに交換しよう。

仕事のために新しいスキルを身につけようとして読むという作業を続けている場合にも、同じルールが当てはまる。優先順位付けをし、少なくとも要点を見定める。細かいこと一つひとつまで吸収しようとしないことだ。それよりも、自分の習熟度を上げるためにベストを尽くせるだけの時間をつくればよい。

読んでいるものがなんであっても、難しい説明に難渋しているなら、もっとわかりやすい説明が見つからないか考えよう。友人か指導者にその内容を説明してほしいと頼んでみよう。ユーチューブの動画を見てみよう。あるいは、ひと休みして、拡散モードによる助け舟をあてにしてみよう。

＊　＊　＊

学習の道程の最後には、テストが待っているのが世の常だ。次の章では、すべての学習が評価され成績がつけられる短い時間の間に、いかに自分に有利な終わり方をすればよいかを考える。

第八章のまとめ

効率よく読書をするには

読むスピードを上げる努力をしても、それがもっと効果的に読むための方法にはならない。自然だと感じられる以上に読むスピードを上げようとすれば、理解するのに苦しむことになる。

細かいところまで読み込む前に、あらかじめその文全体を眺めておこう。大きな絵を見ることによって、細かいところまで理解し、記憶できるようになる。

消極的な読書は避けよう。

積極的に思い出す作業を実践する。読んでいる最中、定期的に文から視線をそらして、ページのキーポイントを思い出せるかどうか試してみよう。これによって、それらの肝心なアイデアを頭の中に焼き付けそして同時に理解も確実に積み上げられる。

文の内容について考える方法を見つけよう――そうすれば理解が深まる。読書中に短いタイムアウトの時間をとり、その内容に関する問題に答え、自分の言葉でその内容をまとめ、ほかの人たちとそれについて議論をすればよい。

第九章

試験で好成績をあげるには

バーバラが電気工学を学んでいたとき、難解な回路試験に備えて、自分が最大限予想できる練習問題に取り組んだ。バーバラ以上に試験準備をするのは難しかっただろう。事実、試験の前、講座のトップクラスの学生が数人、バーバラを頼ってきたのに応えて、難解な概念をいくつか説明してやったことがある。

それでもなんと、バーバラは試験に落第した。一〇問すべてで間違えたのだ。ところが反面、その講座のほとんど全員はよい成績だった。バーバラは思った「彼らは私よりも、試験に対する頭の回転が速いのか、それともただたんに要領がいいに決まってる」。

しかし、その考えは間違っていた。そこにはバーバラが知らなかったちょっとした試験を受ける秘訣があったのだ。

対面の授業を受けているときは、質問をしよう

インストラクターに質問をする人のほうが、多くの情報を手に入れる。質問をしない人は、そうならない。ただし、「試験でどんな問題が出るのですか?」といった質問はやめよう。というのも、とまどうインストラクターがたくさんいるからだ。それよりも、質問している内容について自分はすでに勉強してきたという証拠を示そう。たとえば、「私は自分のノートやスライドを復習していました。そしてそうしたタイプの問題を予想していますし、学習の際にそうしたテーマの優先付けをしています……これは先生がお話になろうとしていることと合っているようですか?」と尋ねてみる。

試験を受けるスキルと知識の重要性

われわれは、よい成績をあげるために必要なのは与えられた教材をよく学習することに尽きると考えがちだ。しかし、困ったことに、それにはなんの保証もない。試験でよい成績をあげるには、試験を受けることにも得意でなければならない。つまり、目前に迫った試験に関する知識を仕入れ、試験を受けるための賢い戦略を駆使する能力を持つことも必要なのだ。

バーバラは回路の試験に失敗したあとで、この重要さを学んだ。つまり、あとになって、教授は学生に対して試験で特殊な推測※をするよう要求していたことがわかった。

しかし教授はこの推測のことに授業中は触れなかった。教科書の指定された章にも書いていなかった。試験の説明にもなかった。ところが、この推測をしなければ、一問も答えられなかったのだ。

そうなると、なぜほかの学生がよい成績だったのに、バーバラの成績は振るわなかったのか？　あとでわかったのは、ほかの学生はその教授の過去の試験問題にあたっていた事実だった。彼らには、教授がどのあたりを出題しそうか、――そして特殊な推測がたぶん試験に出るだろうということが、おおよそわかっていたのだ。

※ダイオード間での0.7ボルトの電圧低下

ほかの学生が何をしているのかがわかったところで、バーバラは仲間の学生と付き合う機会を増やし始め、彼らと同じ試験関連の情報が手に入るよう心がけた。

だから、試験の準備を始める前には、その試験の見きわめにベストを尽くそう。問題そのものの見きわめではなくても（ズルをそそのかしているわけではない！）、どんなタイプの問題が出るのか、その問題がどのように評価され成績が付けられるのかやなんらかの予想、推測といったことだ。

目前に迫っている試験に慣れておく方法はいくつかある。たとえば、試験について把握している情報を点検する、よく理解できていないことをはっきりさせる、そしてほかの人と目前の試験について話し合いをするなどだ。しかし、おそらくもっとも重要なのは、できるかぎり、過去の試験にあたることだ。

過去の試験にあたることの重要性

試験を受けるのは学習にとって非常に大切なことだ。たとえば、一時間試験を受けることによって、一時間よりもはるかに長い時間学習した効果が得られる。※1 模擬試験を受けることにも価値がある。

事実、**ある研究によれば、試験のために準備する最高の方法は、目前の試験の問題によく似た問題にあたって練習することだという。**※2

そのためには過去の問題を練習台にすればよい。もちろん、ほかの情報源から得た類似の問題も同じように役に立つはずだ。ただし、それは試験に出そうな問題とまったく同じタイプの問題ではないかもしれないが。

しかし、おぼえておいてほしい――練習用の問題は、解答を見てしまえば役に立たなくなる。それは結果的に作業記憶の中に情報を入れ込むだけになるからだ。だから簡単に消え去ってしまう。**練習用の問題には、たとえすでにそれらを理解していると思っても、ひとりで取り組まなければならない。**

過去の問題はどこで手に入れられるのだろうか？ 資格試験や技能試験の場合、過去に出題された試験問題は、たいてい、書籍の形かオンライン上で手に入る。

大学やオンライン講座の学生にとっては、自分の知っているキーとなる言葉、つまり自分の講座の名称を検索することで、わかるだろう。そして、練習・クイズ・テスト・例・問題といった言葉もまた、驚くほど役に立つ材料を掘り起こしてくれるはずだ。

また、coursehero.comのような幅広い範囲を包含するサイトを、試験の練習用の問題の参考に使える。

過去の練習用の問題を検索で見つけられないなら、試験に出そうだと思う問題をいくつか自分で考えてみよう。指定された教材を使う講座を受講しているなら、試験問題だと思ってその教材を書き直してみよう。こうすれば、心理学、歴史そしてその他、定量的でない科目の講座の場合には、とくにうまくいくはずだ。

与えられた時間の計画を立てよう

オラフがオックスフォードの大学院生として最初の学期試験の予定を知らされたとき、その試験にはことごとく落第するのは間違いないと思った。

ノルウェーで過ごした大学生時代には、講義のある期間は通常、ひと月からふた月だったため、講義の期間が終わってから期末試験までには準備するのに十分な時間があった。

ところが、オックスフォード大学で、オラフは、最初の試験の予定に目をやりながら、五科目の試験準備のために勉強できる時間がなんと一週間もないことがわかったのだ。果たしてどうすればいいのか？

準備の時間がほとんどないのは自分だけではないという事実に、オラフは気が楽になった（もし〝実際に〟準備にかける時間がなさすぎたとしたら、大学が三〇〇人近い学生の集団を落第させるはずがないと確信した）。

そこで、ある〝計画〟を立てた。残された時間が長短どれほどであっても、その時間を最大限に活用できるようにするのが目的だった。

計画を立てれば時間が増えるというわけではない。しかし、そのおかげで、自分に

学習総合計画

(週)	月	火	水	木	金	土	日
21	歴史 数学	歴史 スペイン語	数学 スペイン語	数学 スペイン語	スペイン語 歴史	オフ	オフ
22	スペイン語 数学	歴史 数学	歴史 スペイン語	数学 スペイン語	数学 スペイン語	数学 スペイン語	オフ
23	数学 数学	数学 数学	数学試験	スペイン語 スペイン語	スペイン語試験	歴史 歴史	歴史 歴史
24	数学試験						

与えられた時間を賢く使えるようになる。計画というものはまた、ストレスも軽減してくれる。というのも、何をすべきかということに悩む必要がなくなるからだ。自らに必要なのは、計画に従うこと、それだけだ。

間近に何科目もの試験を控えているなら、それぞれの試験準備にどれだけの時間が割けるかを見きわめよう。まず、準備に使える日数を数え、それを試験に合わせて分割しよう。

次に、各科目の試験準備に、どの日を当てるかカレンダーを使って計画する。毎日を二科目の準備に振り向けて、各科目の学習間隔を空けるよう

スペイン語の詳細な学習計画

火	過去の試験問題の読解(4h)、仲間と勉強会(2h)
水	1･2章の勉強(3h)、ノートづくり(2h)
金	3･4章の勉強(3h)、 ノートづくり(2h)
月	5･6章の勉強(3h)、 ノートづくり(2h)
水	仲間と勉強会(2h)、 過去の試験問題(3h)
木	過去の試験問題(4h)、 ノートの復習(1h)
金	過去の試験問題(4h)、 ノートの復習(1h)
土	過去の試験問題(4h)、 ノートの復習(1h)
木	過去の試験問題(7h)、ノートの復習(3h)
金	試験本番

にしよう。唯一の例外は、試験直前の一日、二日だ。つまり、そこで目の前の試験科目に集中できたなら、よい成績につながるはずだ。

準備に使える時間がどれほどあるのか把握でき、そして準備できる日がいつなのかがはっきりすれば、その準備時間をどのように使うかを慎重に考えるのが賢明だ。

カリキュラムのどの部分に集中して取り組もうか？ 過去の試験問題を解くのにどれほどの時間を割こうか？ 読み込み、ノートの復習、そして仲間との相談に割く時間は？ 学習計画の中に自分の考えを集約しよう。その気になれば、特定の科目にはさらに細かな計画を立ててもよいだろう。

これはすべて、たとえば、フルタイムの仕事を抱え同時に家族に対する責任をはたしながらＭＢＡの勉強をしているときに、することとよく似ている。

この場合には、家族からの協力も重要だ。犠牲を払うことになり、さらには時折、睡眠不足に悩むことになる（研究からの知見とは真逆だ）。

しかし、これが物事のありようというものだ。最適な戦略などは存在しないけれども、できるだけ注意深く与えられた時間についての計画を立てることが重要だということを頭に置きながら、ベストを尽くそう。

楽観的になりすぎるのは世の常だろう。だから、日々を過ごしながら学習にできもしないほどの長い時間を割り当てていい気分になるような計画変更をしても、かまわない。ただし、計画を立てる意義は、立派な計画を完成させることよりも、計画を新たに立てるために求められる熟考や考察のほうにあるのだ。

説明を読み、問題の一つひとつを慎重に

オラフはかつて、就職面接の資格を得るためにコンピューター化された多肢選択式の試験を受けさせられたことがあった。その試験には、あるテキストとその関連の数字やグラフについての問題が出題されていた。

オラフは試験の説明をざっとながめてスタートボタンを押した。最初のうちは順調だった。しかし、与えられた時間が終わりに近づいてきても、まだ、たくさんの問題が手付かずのままだった。

取れるはずの得点を逃すわけにはいかなかったので、残った答えの選択肢を手当たりしだいに選んだ。その試験が終わったあと、その説明を読み返してみた。そこではじめて、その試験は、受験者にはとても全問に答えられない仕組みになっていたことに気が付いた。その説明は、あてずっぽうを戒めていた——誤った答えは大きなマイナスポイントになるということだった。

言い換えれば、オラフは間違った答えは無回答よりもはるかに悪いという珍しい試験に遭遇してしまったというわけだ。

もちろん、その試験には落第した——それは本人の能力のせいではなく、説明を注意深く読まなかったせいだった。

人が読み間違えたり、解釈を誤ったりするのは世の常だ。ただし、試験の場合、それは破滅的な行為にもなる。

試験の説明はどんなものでも注意深く読むよう心がけよう。ある試験で、エッセイの問題が五問出ているときには、答えなければならないのは五問全部なのか、それとも一問でよいのか確認する必要がある。

一つひとつの問題を前後三回確認するのも、賢明だ。具体的には、答えを書き始める前、答えを書いている途中、そして答えを書き終わってから、の三回だ。こうすれば、答えを書いている間も問題に的確に向き合っていられるのだ。

的確な時間管理をしよう

オラフはかつて試験問題の答えを最後まで書くのに苦労していたものだ。試験問題の最後までたどり着く前に時間切れになることがしょっちゅうで、時には多くの問題に手を付けないままになってしまうこともあった。

すべては時間の管理だ

模擬試験受けること――そして本番の試験で与えられる時間と同じような時間設定をすること――は本番の試験の間、順調に時間を使っていることを確認するための最高の方法だ。模擬試験は、どの問題が時間がかかるのか、あるいは難解なのかを判断するために役立つ予行演習になる。

そんなあるとき、数学の試験が、五問のうち一問に手を付けないままで終わってしまった。四問にきちんと答を書いても意味はなかった。それが、試験の二〇パーセントが無回答だったというだけでは終わらないため（実際には全部に答えなければならなかったので）、成績は極端に悪くなった。

模擬試験を受けること――そして本番の試験で与えられる時間と同じような時間設定をすること――は本番の試験の間、順調に時間を使っていることを確認するための最高の方法だ。

模擬試験は、どの問題が時間がかかるのか、あるいは難解なのかを判断するために役立つ予行演習になる。

試験の間中、何回か時計を確認して順調にいっているかどうかを判断するのが賢明だ。そのためには、重点的に配分するべき出題に対しては調整をしながら、全試験時間を試験に出された問題の数で割るのもひとつの方法だ。こうすれば、それぞれの問題に割ける大雑把な時間の目安が見えてくる。

一〇の問題に答えるための時間が六〇分だとしよう。つまり、各問題に六分だ。制限時間の半分が過ぎたあたりなら、五問から六問が終わっていなければならないはずだ。もし三〇分間で書いた答えが二問だけだとすれば、それはトラブルに向かって一直線ということになる。

ある問題にかかわるのをやめて次の問題に移っていくだけの思いきった行動ができないなら、残りの問題を犠牲にして一部の問題にあまりにも多くの時間を浪費する危険が待っている。

いくつかの問題にすばらしい答えを書いたとしても、それはほかの問題の答えが書きかけ、あるいは無回答のままにしたことの埋め合わせにはならないだろう（オラフが痛い目にあったように）。

〝ハードスタート〟を頭に置いておこう。つまり、一番手ごわいと思われる問題から手を付けよう――それでもそれに向き合うのは数分間だけ、行き詰まるまでの間だ。その後それよりも簡単な問題に移っていくと、拡散モードがその裏側でその一番手ごわい問題に立ち向かってくれる。

ハードスタートのテクニックで、ある問題からあえて手を引けと働きかけてくれる自律心は、問題に答えるスケジュールを守るために働いてくれる自律心と同じものだ。

書いた答えを点検しよう

問題の答えを書き終えていくらか時間が余ったら、その時間を使って自分の答えを見直してみよう。拡散モードが付け加えてくれるものはあるか、あるいは何かの答えを変えるよう合図していないか、確かめよう。

興味深いことに、ある研究によると、試験を受ける者は見直して自分の答えを変えようとするとき、変えたほうが間違いから正解に変わるのが一般的だという。この余った時間はまた、あいまいな言葉づかいを見つけて直すための格好のチャンスでもある。[※3]

さらにもうひとつ秘訣がある。それは、自分のもっともよく犯す類の誤りを書き留めておくことだ。そうすれば、自分のしていることを、もっと的確な集中力で点検できるようになる。

最後の見直しをしているときには、間違った答えあるいは書きかけの答えが減点の対象にならない場合は別として、手ごわい問題に一字も答えを書かずにしてはいないことを確認しよう。無回答のままにするのではなく、関係がありそうだと考えられる答えならなんでも書いておこう。

たとえば、実行したかったステップや、使ったはずの公式を書いておくのもよい。これが一定の評価につながるかもしれない。学生はときどき、自分の知っているのが、定義だけだったり、常識的な知識だと思い込んでいるようなものだけだったりすると、答えを書かないときがある。こうしたものも、十分考慮の対象になるかもしれない。

試験の不安と付き合おう

大切な試験を目前にして少しばかり不安になるのは当然のことであり、それは試験でよい成績を上げるためにはむしろよいことだ。※4

だから、試験のせいでストレスを感じていると思うのをやめて、「ストレスを感じているのは、ベストを尽くす準備をしているからだ」と考え直そう。

しかし、もしどうしようもない不安に襲われる場合には、本書で紹介した学習テクニックを使って強力な連鎖をつくるのが、その不安をやわらげ、試験でよい成績をおさめるための最良の方法になる。※5

また、試験を目前に控えたストレスいっぱいのときには、最終のゴール（Aの成績をとる）よりも、プロセスのゴール（三時間たっぷり学習する、あるいは、二種類の過去の試験問題を解いてみる）に気持ちを集中させるほうがよい。

〝プロセス〟に集中することによって、ある程度重圧を払いのけて、とにもかくにも、自分の最終のゴールに到達する可能性を高くしてくれるだろう。

試験が目の前に配布されると、あるいはオンラインの試験の場合には画面の〝スタート〟を押すと、不安な気持ちがパニックに変わるような気になるかもしれない。

こうなる可能性はある。なぜなら、ストレスを感じているときは、えてして呼吸が浅くなるからだ。肺の上部だけで息をしているということだ。十分に酸素を取り込めず、体がパニックになる。

これに対処するためには、自分の呼吸の状態に意識を向けることだ。パニックモードに陥る前に、腹に手を当て、その手が前後するほど深く肺に空気を吸い込もう。このような深呼吸によって、気持ちが落ち着き安定した状態になるはずだ。

コラム

できることなら、講座は戦略的に選択しよう

バーバラは工学を勉強していたとき、修了試験の実施日を考慮して講座を選択するのが常だった。

また、試験の所要時間が一時間よりも、三時間の講座を好んで選択した。所要時間の長い試験のほうが、個々の問題に解答できる時間が長くなり、精神的重圧がやわらぎ、拡散モードの思考に余裕が生まれると考えていた。

講座の履修計画を立てるとき、戦略的に考えられれば、それが成績を上げるための力になるだろう。たとえば、こういうことだ。つまり、一度の修了試験による成績評価とは対照的に、たくさんの細々とした研究課題をもとに成績評価がなされる講座でよい成績を上げているなら、それこそが、講座を

選択するときに考慮すべきことになるのだ。

〝夜型人間〟の学生の中には、朝に弱い人がいる。そうした人たちの場合は、午後遅くか夜の部をめざすのが賢明だ。

それ以外の人たちは、オンラインでのビデオ講義への取り組みでベストを尽くしている。こうした講義は、講師の説明についていけなくなったとき、ビデオを止め、見直すことができる。こうすれば、よい成績をおさめた個々の講座の勉強に明らかに有効だったのは何か、そしてうまくなかった講座には何が有効でなかったのかを分析するのに役立つのだ。

努力をするなら、優秀な指導者が担当する巧みに構成された講座のほうにすべきだろう。そのためには、ほかの学生やClasscentral.com、RateMyProfessors.comといったウェブサイトから講座に関する〝貴重な情報〟を手に入れることが、有益なはずだ。

しかし、学生というものはときどき、自分の望む成績を上げられないとき、でたらめな評価をくだすこともある、ということを頭に置いておこう。

最後に、次のことも忘れないように。つまり、成績は大切であるにしても、これまで学んだことそしてこれから学ぶことは、成績そのものよりもはるかに大切だ。教育のほんとうの果実は、生涯を通して効率的な学習者になることだ。次の最終章で、どのようにすれば、本書で紹介したツールを最大限に活用できるか、そしてどうすれば、自分の学習姿勢を改善し続けられるか、について触れることにする。

第九章のまとめ

試験で好成績をあげるには

試験の前には

試験そのものと試験に出そうな類の問題に慣れておこう。

・試験についての情報を見直しておこう
・よくわかっていないことを明確にしておこう
・ほかの人と目前の試験について話し合おう

過去の試験の出題に、できるだけ数多くあたっておこう。解答を見てはいけない。そんなことをすれば、作業記憶は情報であふれかえってしまい、簡単に消滅することになる。

試験の準備をするための計画を立てよう。これによって、試験準備のために使う時間と集中的に取り組むテーマが具体的になる。

戦略的に講座を選択しよう。教育のほんとうの果実は一生涯続く効率的な学習者になることだ。

試験中は

試験の説明と問題を慎重に読もう。答えが少し見えている問題を読むと、その問題への理解がより深まるものだ。

試験の時間配分を常に考えていよう。 試験の部分ごとに割けるおおよその時間を意識して、絶えず時間を見て時間の使い方が順調かどうかを確認しよう。

残り時間がどれほどであってもそれを使って自分の答えを見直そう。 すべての問題に答えを書いたか（あてずっぽうが減点にならない場合）、そしてその答えが明瞭に書かれ、しかも重要なポイントが漏れていないかを確認しよう。

〝ハードスタート〟のテクニックを思い出そう。 できるときには、最初に、もっとも難解な問題から始めよう。もし行き詰まったら、そこでやめて、残りの問題に移ろう。その難解な問題は後回しにしよう。そして例の拡散モードを働かせよう！

試験の前、そして試験中に感じるストレスが、かえってよいこともある。 試験の直前に深呼吸して、確実に酸素を十分に取り入れよう。

第一〇章

戦略的な学習者になるには

「歌手になるのは無理です」と審査員は異口同音に言った。出場者はぼう然、耳にしたその言葉が信じられず、怒ってマイクを放り投げ、ステージの裏で怒り狂った。『Xファクター』や『アメリカズ・ゴット・タレント』といったオーディション番組を見たことがある人なら、こうした場面には嫌というほどお目にかかっているだろう。

しかし、そこにはひとつ重要な疑問がある、つまり、なぜそれほど多くの人が、そうではないことがはっきりしているにもかかわらず、自分は何かの達人だと思うのだろうか？

ここで少し時間をとって、本書で述べてきた内容に目を向けてみよう。ここまで紹介してきたのは、科学と経験がわれわれに教えてきた最高の頭脳のツールだ。

効率的な学習者になるためには、優れたツールが重要

たとえば

・ポモドーロ・テクニックを使うことによって、邪魔するもののない環境をつくり上げ、怠け心を打ち砕く。
・休憩時間をつくる。そして試験に臨んで厳しいスタートのテクニックを使うことによって、行き詰まり状態を克服する。
・積極的に学習する。強力な神経結合の集合体を形づくるために、回収を実践し、自分自身のテストをし、自分で学習した内容を説明してみる、そしてさまざまなテーマに対して自分の能力を総動員し、さらには学習時間の配分を考える。
・頭字語、文章、鮮やかな画像、メモリー・パレスそして内在化などを使うことによって、記憶し、内在化する。
・計画を立てる。具体的には、より自制心を発揮するために、いつ、どこでそしてどのようにして邪魔になるものに対処するのか計画を立てる。
・価値を見出し、熟達の域に達し、ゴールを設定することによって、自分自身の意欲を燃やす。

・予習し、積極的な回想を実践し、注釈をつけることによって、効率的に読みこなす。

・過去の試験問題を分析し練習し、与えられた時間の使い方を確認することによって、試験でよい成績をおさめる。

これらはみな、正しく活用されれば、優秀な学習者になるための力になってくれるだろう。

しかし、どうすれば、確実に、正しい戦略を適切なときにそして適切な方法で使えるのだろうか。そしてそれらの戦略を、自分の学習環境を取り巻く新たな環境にどのように適応させるのだろうか？

このためには、研究者がメタ認知と呼んでいるものが必要になる。

メタ認知の重要性

メタ認知とは、自分が持っている脳の外側にあるもうひとつの脳だと考えればよい。このもうひとつの脳は、本人がどのように考えているのかを考えている（メタ認知は〝考えることを考える〟という意味だ）。

この脳は、本人がさまざまな問題にどのようにすれば最高のアプローチができるか、どんな戦略を使うべきかを、ひと呼吸おいて考えてくれる。学習の途中でその学習を止めさせて（おそらく何回か）、その学習のアプローチが機能しているかどうかを評価する。

そして学習を終えるとき、そのもうひとつの脳は、別にとるべき方法があったかどうかを振り返る。言い換えれば、メタ認知というものは、ツールを使うべきときがいつかを教えてくれるだけでなく、そうしたツールを使いこなす能力も向上させてくれるのだ。学習者の成功のためには、これはきわめて重要だ。

そのもうひとつの脳はまた、オーディション番組で下される厳しい審査に驚かずにすむためにもきわめて重要な存在だ。

なぜ、出場者の中にびっくり仰天してしまう人がいるのだろう？　才能がないだけでなく、おそらくしかるべきメタ認知を持ち合わせていないのだろう。彼らにメタ認知が備わっていたら、積極的に客観的なフィードバックを読み解き、批評を受け入れそこから学びながら、自分自身を離れたところから評価しようと試みたことだろう。

なぜ世の中には、メタ認知に長けている人がいるのだろうか？　研究によれば、言

うまでもなく、自分の能力に自信過剰になっている人は、メタ認知の面で見劣りするという。※1

しかし、誰でも練習を重ねれば、もっとメタ認知を活かせるようになるはずだ。

メタ認知が働くような質問を自分自身に投げかける

メタ認知を活かせるようになるもっとも簡単な方法は、自分自身にもっと高度な質問を投げかけることだ。たとえば、

・自分が窮地に陥っているとき、助け舟になってくれる資源は何か？
・学習しているとき、集中している対象は適切で、集中のレベルもまた適切なのだろ

うか？　優先順位を変えるべきではないのだろうか？

・もっと効率的に学習できる学生になれないものか？　磨きをかけられるものは何か？

・難しいと判断するものは何か、そしてそれはなぜか？

メタ認知を活かせる学習者に与えられるメダル

メタ認知を活かせる学習者になるためのもっと確実な方法は、自己管理のできる学習者になるための以下の〝四ステップモデル〟に従うことだ。この提唱者はカナダ人の心理学者、フィル・ウィンとアリソン・ハドウィンだ。※2

自己管理のための四つのステップ

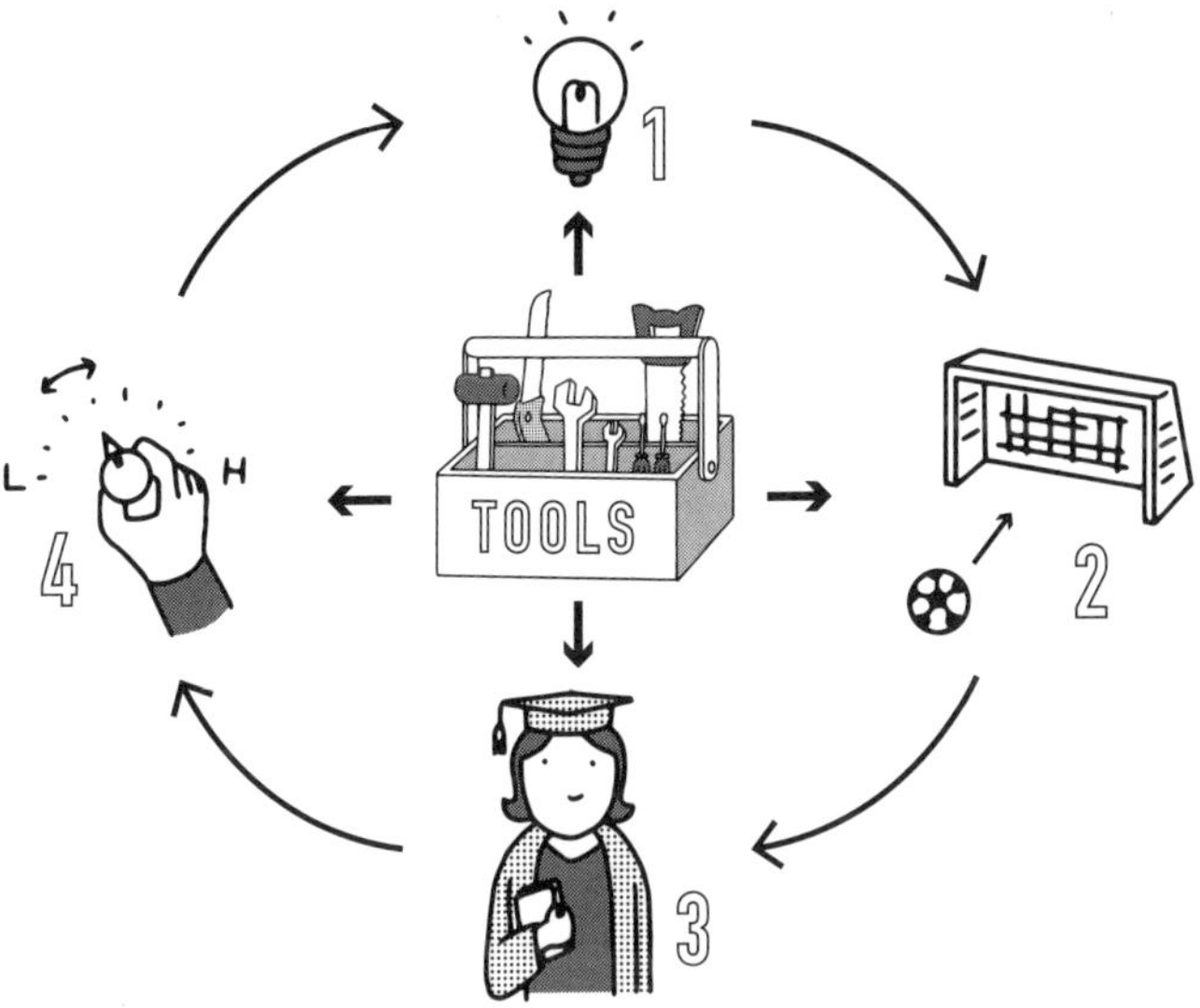

ステップ一
課題を理解する

自分には何が要求されているのか、どのように評価をされるのか、そして与えられた時間と資源について理解しよう。※2

大学であるテーマを勉強している場合には、そのテーマに関わる学習教材を活用して、自分が学習しなければならない対象を正確に把握すればよいだろう。

試験の準備をしている場合には、

過去の試験問題を分析して、試験で出題されそうな問題はどんなものか、その理解を深めればよいだろう。

また、課題を理解するためには、まず、インストラクターに対してインストラクターの課題に対する理解を尋ねることだ。また時には、仲間にその課題に対する仲間の理解の中身を教えてもらってもよい。

ステップ二　ゴールを設定し計画を立てる

自分の抱負について考え――自分はどのレベルまで到達したいのか――そして与えられた課題を分割して具体的なゴールに落とし込もう。

こうして、いくつかゴールを設定したら、いつ、どこでそしてどのようにしてそれらを達成するために動くのか、計画を立てる。そのためには、適切な学習のテクニックを選び出すことも必要だ。

イタリア語の語彙のリストを学習している場合には、リストの単語を一〇〇パーセントすべて記憶するというゴールを設定し、単語のフラッシュカードづくりを計画し、五日間毎日一〇分間回収を実践し、この取り組みを一定の間隔を空けながら二週間にわたって続けるとよいだろう。

光合成を勉強している場合には、光合成のプロセスをよく理解して、他の人に説明ができるというゴールを設定すればよい。これを達成するためには、多種多様な情報源から光合成の知識を仕入れ、上手に話をするテクニックの修練を積むことだ。

ステップ三　学習する

さまざま異なるツールを試しながら、自分が立てた計画に沿って学習しよう。

ステップ四　監視し、修正する

学習中は、定期的にワンステップ戻って、自分の学習の進みぐあいを評価しよう。実際に学習を進めているか、そして最良の学習戦略をとっているかどうかの評価だ。

学習方法の修正に迫られるかもしれない。これにはなんの問題もない。事実、進み方が遅かったり、進んでいなかったりしているときに取り組み方を変えることは、自己管理ができている学習者になるための重要な要素のひとつだ。たとえば、もし、難解な文の理解に苦しんでいると感じるなら、ユーチューブにある説明動画やオンライン講座といったほかの情報源で学習することを試してもよいだろう。

この四ステップのプロセスは繰り返せる。したがって、難解な対象を修得しようという過程で、何度かこれらのステップを繰り返すことになるだろう。

この四ステップをひと回りすると、課題に対する理解が深くなり、ゴールや計画を更新できるようなことも身につけられるかもしれない。学習の仕方を変えることによって、そして学習が進むにつれて、自分の課題に対する理解を深め、ゴールと計画に対して踏み込んだ変更を加えられるだろう。

自分の学習をより自己管理の行き届いたものにする作業には、実際に満足できる成果があるはずだ。ある研究によれば、自己管理のできる学習者を育てる訓練によって、学生を百分位数五〇から七五にまで動かせるという。※3

過去の試験から学ぶ

試験で自分の成績を評価するひとつの方法は、次に示すような定型の表を使うことだ。こうした表によって、試験を受ける経験を別の側面から考え、もっとよい成績をあげるために何ができたかを見直せる。

したか

	次回の成績向上を目指して何ができるか

試験前には何を

質問	イエス	ノー	
何をどのように学習すべきか判断するのに十分な試験の情報を事前に手に入れていたか？			
適切な準備をするのに十分な時間を確保していたか？			
カリキュラムに関係した内容をすべて勉強したか？			
学習のために確保していた時間の始めから終わりまで、集中した姿勢で効率的な勉強をしたか？			

したことは

	次回の成績向上を目指して何ができるか

試験期間中に

質問	イエス	ノー	
説明と問題を理解したか?			
全問に答えを書いたか?			
疲れや空腹で、満足に集中できなかったか?			
パニックになった、あるいは強烈な不安感に襲われて、満足に集中できなかったか?			
さまざまな問題に答えるのに、うまく時間の配分をしたか?			
不注意から何かミスをしたか?			
個々の問題の中核的なアイデアを憶えていたか?			
個々の問題の詳細を憶えていたか?			
明瞭でまとまりのある答えの書き方をしたか?			

最後に

脳というのは、その人が持っているもっとも価値のある複雑なツールだ。本書が、その脳を今まで以上に活かすための役に立ち、そして学習法を進化させるための励みになれば幸いだ。以下のメタ認知を刺激する質問をして、本書の締めくくりにする。

読者が本書から得た最大の知見は何か？　学習を進めていくうえで、今後、今までとはどんな違ったことをするつもりか？

第一〇章のまとめ

戦略的な学習者になるには

効率的な学生になるためには、適切なときに適切な学習ツールを使い、どうすれば進歩できるかを絶えず考えていなければならない。

そのためには、メタ認知――脳の外にある脳――が必要だ。メタ認知は一歩下がって間をとり、高いレベルの質問を投げかけてくる。

以下のようなメタ認知が必要な質問を自分自身に投げかけよう。

・自分が窮地に陥っているとき、助け舟になってくれる資源は何か？
・勉強しているとき、適切な対象に集中しているか？　優先順位を変えるべきではないか？

四ステップの自己管理型学習モデルを使ってメタ認知を活かす習慣を身につけよう。

ステップ一　課題を理解する
ステップ二　ゴールを設定し計画を立てる
ステップ三　学習する
ステップ四　監視し、修正する

巻末付録

チェックリスト 効率的に学習するには

本書で述べたアドバイスを以下のようにまとめてみた（言うまでもなく、本書を熟読して最大限に活用していただきたい）。

一　しっかりと集中して、怠け心を克服しよう

・ポモドーロ・テクニックを使おう（気が散ることを排除する、二五分間集中する、休み時間をつくる）。
・同時並行的に複数の仕事をしない。
・気が散ることとは無縁の環境をつくろう。
・頻繁に休憩する時間をつくろう。

二　行き詰まりを乗り越えよう

・行き詰まったら、今集中している問題から離れよう、あるいは、ひと休みして拡散モードの出番にしよう。
・その問題からしばらく完全に離れたあと、また行き詰まったところから再開しよう。

・〝ハードスタート〟テクニックを使って、宿題や試験に向き合おう。
・レポートやエッセイを書き始めようとするときには、頭に思い浮かんでくるものを編集しようとして、いちいち書く手を止めるようなことはしない。書くために使う時間を、編集に使う時間から切り離そう。

三 深く学習しよう

・積極的に勉強しよう。積極的な想起（〝回収の実践〟）と交互配置の工夫を実践し、学習の間隔を空けよう。
・簡単なことに集中せず、自分自身の実力を試そう。
・十分な睡眠をとり、常に動ける体を維持しよう。

四 作業記憶を最大にしよう

・教材を小さな部分に分解し、高級な用語を簡単なものに置き換えよう。
・作業リストをつくって、作業記憶を解放しよう。

・的確にノートをとり、同じ日にそれを見直そう。

五　記憶し、内在化しよう

・記憶のコツを活かして、記憶のスピードを上げよう。具体的には、頭字語、イメージそしてメモリー・パレスだ。
・科学的また数学的な問題を解くための手順を内在化しよう（記憶してはならない）。
・新しい概念をすばやく把握するために、比喩を使おう。

六　持ち合わせていない場合でも、自律心を発揮しよう

・自律心に頼らなくても難題を克服する道を見つけよう。
・身の回りから誘惑するもの、気を散らすものそして邪魔になるものを排除しよう。
・身についた習慣を改善しよう。
・ゴールを設定し、邪魔になるものを見きわめ、事前にそれに対処する理想的な方法を明確にしよう。

七　自分自身をその気にさせよう

・課題を達成して得られるすべての成果を思い起こそう。
・困難な課題を乗り越えたことに対して自分に褒美を出そう。
・課題の難易度が自分の知識や技能（スキルセット）に見合っていることを確かめよう。
・ゴールを設定しよう――長期的なゴール、マイルストーンとなるゴールそしてプロセスのゴール。

八　効率的に読もう

・細かいところまで読み込む前に、あらかじめその文を眺めておこう。
・積極的に読もう。文章について考え、積極的な想起と注釈の書き留めを実践しよう。

九　試験で好成績をあげるには

・試験に〝ついて〟できる限り知識を得て、準備の計画を立てよう。
・過去の試験で出題された問題で練習しよう。
・試験を受けているときは説明を慎重に読もう。与えられた時間によく注意を払い、答えを点検しよう。
・〝ハードスタート〟テクニックを使おう。

一〇　戦略的な学習者になろう

・メタ認知を活かせる学習者になろう。課題を理解し、ゴールを設定し計画を立て、学習し、監視して修正しよう。
・過去から学ぼう。うまくいったこと、そして向上できる分野を評価しよう。

Sio, U. N. and T. C. Ormerod. "Does incubation enhance problem-solving? A meta-analytic review." Psychological Bulletin of Science, Technology & Society, (2009): 135.

Smith, Amy M., et al. "Retrieval practice protects memory against acute stress." Science 354, no. 6315 (2016).

Smith, M. A., et al. "Glucose enhancement of human memory: A comprehensive research review of the glucose memory facilitation effect." Neurosci Biobehav Rev 35, no. 3 (2011): 770-83.

Smith, M. E. and M. J. Farah. "Are prescription stimulants 'smart pills'? The epidemiology and cognitive neuroscience of prescription stimulant use by normal healthy individuals." Psychol Bull 137, no. 5 (2011): 717-41.

Sniehotta, Falko F., et al. "Action plans and coping plans for physical exercise: A longitudinal intervention study in cardiac rehabilitation." British Journal of Health Psychology 11, no. 1 (2006): 23-37.

Socci, V., et al. "Enhancing human cognition with cocoa flavonoids." Front Nutr 4, (2017): Article 10.

Standing, Lionel, et al. "Perception and memory for pictures: Single-trial learning of 2500 visual stimuli." Psychonomic Science 19, no. 2 (1970): 73-74.

Stork, Matthew J., et al. "Let's go: Psychological, psychophysical, and physiological effects of music during sprint interval exercise." Psychology of Sport and Exercise 45, (2019): 101547.

Sweller, John, et al. Cognitive Load Theory. New York: Springer-Verlag, 2011.

Szuhany, Kristin L., et al. "A meta-analytic review of the effects of exercise on brain-derived neurotrophic factor." Journal of Psychiatric Research 60, (2015): 56-64.

Thompson, Derek. "A Formula for Perfect Productivity: Work for 52 Minutes, Break for 17." The Atlantic, no. Sep 17 (2014). https://www.theatlantic.com/business/archive/2014/09/science-tells-you-how-many-minutes-should-you-take-a-break-for-work-17/380369/.

Tobin, K. J. "Fast-food consumption and educational test scores in the USA." Child: Care, Health and Development 39, no. 1 (2013): 118-124.

Treadway, Michael T, et al. "Dopaminergic mechanisms of individual differences in human effort-based decision-making." Journal of Neuroscience 32, no. 18 (2012): 6170-6176.

Turow, Gabe and James D Lane. "Binaural beat stimulation: Altering vigilence and mood states." In Music, Science, and the Rhythmic Brain: Cultural and Clinical Implications, 122-139, 2011.

U.S. Department of Health and Human Services. "Physical Activity Guidelines for Americans, 2nd edition." (2018). https://health.gov/paguidelines/second-edition/pdf/Physical_Activity_Guidelines_2nd_edition.pdf.

van Praag, Henriette. "Exercise and the brain: Something to chew on." Trends in Neurosciences 32, no. 5 (2009): 283-290.

Walker, Matthew. Why We Sleep: The New Science of Sleep and Dreams. New York, NY: Penguin, 2017.

Wamsley, Erin J. "Memory consolidation during waking rest." Trends in Cognitive Sciences 23, no. 3 (2019): 171-173.

Wamsley, Erin J., et al. "Dreaming of a learning task is associated with enhanced sleep-dependent memory consolidation." Current Biology 20, no. 9 (2010): 850-855.

Ward, Adrian F., et al. "Brain drain: The mere presence of one's own smartphone reduces available cognitive capacity." Journal of the Association for Consumer Research 2, no. 2 (2017): 140-154.

Wardle, Margaret C, et al. "Amping up effort: Effects of d-amphetamine on human effort-based decision-making." Journal of Neuroscience 31, no. 46 (2011): 16597-16602.

Winne, Philip H and Allyson F Hadwin. "Studying as self-regulated learning." In Metacognition in Educational Theory and Practice, edited by D. Hacker, et al., 27-30. New Jersey: Lawrence Erlbaum Associates, 1998.

Winter, Lloyd Bud. Relax and Win: Championship Performance in Whatever You Do. San Diego, CA: Oak Tree Publications, 1981.

Xie, Lulu, et al. "Sleep drives metabolite clearance from the adult brain." Science 342, no. 6156 (2013): 373-377.

Yang, Guang, et al. "Sleep promotes branch-specific formation of dendritic spines after learning." Science 344, no. 6188 (2014): 1173-1178.

Zureick, A. H., et al. "The interrupted learner: How distractions during live and video lectures influence learning outcomes." Anatomical Sciences Education 11, no. 4 (2018): 366-376.

Moffitt, Terrie E., et al. "A gradient of childhood self-control predicts health, wealth, and public safety." PNAS 108, no. 7 (2011): 2693-2698.

Mokhtari, Kouider, et al. "Connected yet distracted: Multitasking among college students." Journal of College Reading and Learning 45, no. 2 (2015): 164-180.

Molenberghs, Pascal, et al. "Neural correlates of metacognitive ability and of feeling confident: a large-scale fMRI study." Social Cognitive and Affective Neuroscience 11, no. 12 (2016): 1942-1951.

Nehlig, A. "Is caffeine a cognitive enhancer?" J Alzheimers Dis 20 Suppl 1, (2010): S85-S94.

O'Connor, Anahad. "How the hum of a coffee shop can boost creativity." The New York Times, June 21 2013.

Oakley, Barbara A and Terrence J Sejnowski. "What we learned from creating one of the world's most popular MOOCs." npj Science of Learning 4, (2019): Article number 7.

Oettingen, Gabriele and Klaus Michael Reininger. "The power of prospection: Mental contrasting and behavior change." Social and Personality Psychology Compass 10, no. 11 (2016): 591-604.

Poo, M. M., et al. "What is memory? The present state of the engram." BMC Biol 14, (2016): 40.

Pribis, Peter and Barbara Shukitt-Hale. "Cognition: The new frontier for nuts and berries." The American Journal of Clinical Nutrition 100, no. suppl_1 (2014): 347S-352S.

Rayner, Keith, et al. "So much to read, so little time: How do we read, and can speed reading help?" Psychological Science in the Public Interest 17, no. 1 (2016): 4-34.

Rendeiro, C., et al. "Flavonoids as modulators of memory and learning: Molecular interactions resulting in behavioural effects." Proc Nutr Soc 71, no. 2 (2012): 246-62.

Renno-Costa, C., et al. "Computational models of memory consolidation and long-term synaptic plasticity during sleep." Neurobiol Learn Mem 160, (2019): 32-47.

Repantis, Dimitris, et al. "Modafinil and methylphenidate for neuroenhancement in healthy individuals: A systematic review." Pharmacological Research 62, no. 3 (2010): 187-206.

Rittle-Johnson, Bethany, et al. "Not a one-way street: Bidirectional relations between procedural and conceptual knowledge of mathematics." Educational Psychology Review 27, no. 4 (2015): 587-597.

Roediger III, Henry L and Jeffrey D Karpicke. "Test-enhanced learning: Taking memory tests improves long-term retention." Psychological Science 17, no. 3 (2006): 249-255.

Roosevelt, Theodore. "The books that I read and when and how I do my reading." Ladies' Home Journal 32, no. 4 (1915). https://www.theodorerooseveltcenter.org/Research/Digital-Library/Record/ImageViewer?libID=o292909&imageNo=1.

Rowland, C. A. "The effect of testing versus restudy on retention: A meta-analytic review of the testing effect." Psychol Bull 140, no. 6 (2014): 1432-63.

Rubinstein, Joshua S., et al. "Executive control of cognitive processes in task switching." Journal of Experimental Psychology: Human Perception and Performance 27, no. 4 (2001): 763-797.

Ryan, Richard M and Edward L Deci. "Self-determination theory and the facilitation of intrinsic motivation, social development, and well-being." American Psychologist 55, no. 1 (2000): 68.

Schapiro, Anna C, et al. "Complementary learning systems within the hippocampus: A neural network modelling approach to reconciling episodic memory with statistical learning." Philosophical Transactions of the Royal Society B: Biological Sciences 372, (2017): https://doi.org/10.1098/rstb.2016.0049.

Sedlmeier, Peter, et al. "The psychological effects of meditation: A meta-analysis." Psychological Bulletin 138, no. 6 (2012): 1139.

Sekeres, M. J., et al. "The hippocampus and related neocortical structures in memory transformation." Neurosci Lett 680, (2018): 39-53.

Sekeres, Melanie J, et al. "Mechanisms of memory consolidation and transformation." In Cognitive Neuroscience of Memory Consolidation, 17-44. Switzerland: Springer International Publishing, 2017.

Sheeran, Paschal, et al. "The interplay between goal intentions and implementation intentions." Personality and Social Psychology Bulletin 31, no. 1 (2005): 87-98.

Shirota, Y., et al. "Neuroscientists do not use non-invasive brain stimulation on themselves for neural enhancement." Brain Stimul 7, no. 4 (2014): 618-9.

Sinanaj, I., et al. "Neural underpinnings of background acoustic noise in normal aging and mild cognitive impairment." Neuroscience 310, (2015): 410-21.

Jenkins, E. M., et al. "Do stair climbing exercise 'snacks' improve cardiorespiratory fitness?" Appl Physiol Nutr Metab 44, no. 6 (2019): 681-684.

Josselyn, Sheena A. and Paul W. Frankland. "Memory allocation: Mechanisms and function." Annual Review of Neuroscience 41, no. 1 (2018): 389-413.

Jwa, Anita. "DIY tDCS: a need for an empirical look." Journal of Responsible Innovation 5, no. 1 (2018): 103-108.

Kang, S. and T. R. Kurtzberg. "Reach for your cell phone at your own risk: The cognitive costs of media choice for breaks." J Behav Addict 8, no. 3 (2019): 395-403.

Karpicke, J. D. and J. R. Blunt. "Retrieval practice produces more learning than elaborative studying with concept mapping." Science 331, no. 6018 (2011): 772-5.

Karpicke, Jeffrey D. "Retrieval-based learning active retrieval promotes meaningful learning." Current Directions in Psychological Science 21, no. 3 (2012): 157-163.

Kiewra, Kenneth A, et al. "Note-taking functions and techniques." Journal of Educational Psychology 83, no. 2 (1991): 240-245.

Kornell, Nate and Robert A Bjork. "Learning concepts and categories: Is spacing the 'enemy of induction'?" Psychological Science 19, no. 6 (2008): 585-592.

Kühn, Simone, et al. "The importance of the default mode network in creativity—A structural MRI study." The Journal of Creative Behavior 48, no. 2 (2014): 152-163.

Kuznekoff, Jeffrey H and Scott Titsworth. "The impact of mobile phone usage on student learning." Communication Education 62, no. 3 (2013): 233-252.

Lally, Phillippa, et al. "How are habits formed: Modelling habit formation in the real world." European Journal of Social Psychology 40, no. 6 (2010): 998-1009.

Laws, Keith R., et al. "Is ginkgo biloba a cognitive enhancer in healthy individuals? A meta-analysis." Human Psychopharmacology: Clinical and Experimental 27, no. 6 (2012): 527-533.

Leinenger, Mallorie. "Phonological coding during reading." Psychological Bulletin 140, no. 6 (2014): 1534–1555.

Liles, Jenny, et al. "Study habits of medical students: An analysis of which study habits most contribute to success in the preclinical years." MedEdPublish 7, no. 1 (2018): 61.

Lu, Bai, et al. "BDNF-based synaptic repair as a disease-modifying strategy for neurodegenerative diseases." Nature Reviews: Neuroscience 14, no. 6 (2013): 401-416.

Ly, C., et al. "Psychedelics promote structural and functional neural plasticity." Cell Rep 23, no. 11 (2018): 3170-3182.

Lyons, I.M. and S.L. Beilock. "When math hurts: Math anxiety predicts pain network activation in anticipation of doing math." PLoS ONE 7, no. 10 (2012): e48076.

Madjar, Nora and Christina E Shalley. "Multiple tasks' and multiple goals' effect on creativity: Forced incubation or just a distraction?" Journal of Management 34, no. 4 (2008): 786-805.

Mark, Gloria, et al. "How blocking distractions affects workplace focus and productivity." In Proceedings of the 2017 ACM International Joint Conference on Pervasive and Ubiquitous Computing and Proceedings of the 2017 ACM International Symposium on Wearable Computers, 928-934: ACM, 2017.

Mark, Gloria, et al. "Neurotics can't focus: An in situ study of online multitasking in the workplace." In Proceedings of the 2016 CHI Conference on Human Factors in Computing Systems, 1739-1744: ACM, 2016.

Mattson, M. P. "An evolutionary perspective on why food overconsumption impairs cognition." Trends Cogn Sci 23, no. 3 (2019): 200-212.

Mayer, Richard E. The Cambridge Handbook of Multimedia Learning. 2nd ed. New York, NY: Cambridge University Press, 2014.

Medeiros-Ward, N., et al. "On supertaskers and the neural basis of efficient multitasking." Psychonomic Bulletin & Review 22, no. 3 (2015): 876-83.

Miller, Marshall, et al. "Role of fruits, nuts, and vegetables in maintainning cognitive health." Experimental Gerontology 94, (2017): 24-28.

Milyavskaya, Marina and Michael Inzlicht. "What's so great about self-control? Examining the importance of effortful self-control and temptation in predicting real-life depletion and goal attainment." Social Psychological and Personality Science 8, no. 6 (2017): 603-611.

Dignath, Charlotte and Gerhard Büttner. "Components of fostering self-regulated learning among students. A meta-analysis on intervention studies at primary and secondary school level." Metacognition and Learning 3, no. 3 (2008): 231-264.

Dik, Giel and Henk Aarts. "Behavioral cues to others' motivation and goal pursuits: The perception of effort facilitates goal inference and contagion." Journal of Experimental Social Psychology 43, no. 5 (2007): 727-737.

Doran, George T. "There's a SMART way to write management's goals and objectives." Management Review 70, no. 11 (1981): 35-36.

Duckworth, Angela L., et al. "Self-control and academic achievement." Annual Review of Psychology 70, no. 1 (2019): 373-399.

Duckworth, Angela Lee, et al. "Self - regulation strategies improve self - discipline in adolescents: Benefits of mental contrasting and implementation intentions." Educational Psychology 31, no. 1 (2011): 17-26.

Dunlosky, John, et al. "Improving students' learning with effective learning techniques: Promising directions from cognitive and educational psychology." Psychol Sci Public Interest 14, no. 1 (2013): 4-58.

Ericsson, K Anders and Robert Pool. Peak: Secrets from the New Science of Expertise. Boston, MA: Eamon Dolan/ Houghton Mifflin Harcourt 2016.

Fiebig, Florian and Anders Lansner. "Memory consolidation from seconds to weeks: A three-stage neural network model with autonomous reinstatement dynamics." Frontiers in Computational Neuroscience 8, (2014): 64.

Fox, MD, et al. "The human brain is intrinsically organized into dynamic, anticorrelated functional networks." PNAS 102, (2005): 9673 - 9678.

Garcia-Argibay, Miguel, et al. "Efficacy of binaural auditory beats in cognition, anxiety, and pain perception: A meta-analysis." Psychological research 83, no. 2 (2019): 357-372.

Garrison, Kathleen A, et al. "Meditation leads to reduced default mode network activity beyond an active task." Cognitive, Affective, & Behavioral Neuroscience 15, no. 3 (2015): 712-20.

Geng, J., et al. "Ginseng for cognition." Cochrane Database of Systematic Reviews, no. 12 (2010): Art. No.: CD007769.

Gervain, Judit, et al. "Valproate reopens critical-period learning of absolute pitch." Frontiers in Systems Neuroscience 7, no. 102 (2013): Art No 102.

Glade, M. J. "Caffeine—Not just a stimulant." Nutrition 26, no. 10 (2010): 932-8.

Gothe, Neha P., et al. "Yoga Effects on Brain Health: A Systematic Review of the Current Literature." Brain Plasticity 5, no. 1 (2019): 105-122.

Handel, David "How to unlock the amazing power of your brain and become a top student." Medium (2019). https://medium.com/better-humans/how-to-unlock-the-amazing-power-of-your-brain-and-become-a-top-student-369e5ba59484.

Harvard Medical School. "Blue light has a dark side." Harvard Health Letter (2012, updated 2018). https://www.health.harvard.edu/staying-healthy/blue-light-has-a-dark-side.

Haskell, C. F., et al. "Behavioural effects of compounds co-consumed in dietary forms of caffeinated plants." Nutr Res Rev 26, no. 1 (2013): 49-70.

Heisz, J. J., et al. "The effects of physical exercise and cognitive training on memory and neurotrophic factors." J Cogn Neurosci 29, no. 11 (2017): 1895-1907.

Himmer, L., et al. "Rehearsal initiates systems memory consolidation, sleep makes it last." Science Advances 5, no. 4 (2019): eaav1695.

Hofmann, Wilhelm, et al. "Yes, but are they happy? Effects of trait self-control on affective well-being and life satisfaction." Journal of Personality 82, no. 4 (2014): 265-277.

Hruby, George G. and Usha Goswami. "Neuroscience and reading: A review for reading education researchers." Reading Research Quarterly 46, (2011): 156-172.

Hughes, Nicola and Jolanta Burke. "Sleeping with the frenemy: How restricting 'bedroom use' of smartphones impacts happiness and wellbeing." Computers in Human Behavior 85, (2018): 236-244.

Hulleman, Chris S, et al. "Enhancing interest and performance with a utility value intervention." Journal of Educational Psychology 102, no. 4 (2010): 880-895.

Jansen, Renée S., et al. "An integrative review of the cognitive costs and benefits of note-taking." Educational Research Review 22, (2017): 223-233.

Adan, A. and J. M. Serra-Grabulosa. "Effects of caffeine and glucose, alone and combined, on cognitive performance." Hum Psychopharmacol 25, no. 4 (2010): 310-7.

Adesope, Olusola O., et al. "Rethinking the use of tests: A meta-analysis of practice testing." Review of Educational Research 87, no. 3 (2017): 659-701.

Agarwal, P. K. and P. Bain. Powerful Teaching: Unleash the Science of Learning. San Francisco, CA: Jossey-Bass, 2019.

Agarwal, Pooja K, et al. "Examining the testing effect with open - and closed - book tests." Applied Cognitive Psychology 22, no. 7 (2008): 861-876.

Ampel, Benjamin C., et al. "Mental work requires physical energy: Self-control is neither exception nor exceptional." Frontiers in Psychology 9, (2018): Article 1005.

Anderson, Michael L. "Neural reuse: A fundamental organizational principle of the brain." Behavioral and Brain Sciences 33, no. 04 (2010): 245-266.

Antony, J. W., et al. "Retrieval as a fast route to memory consolidation." Trends Cogn Sci 21, no. 8 (2017): 573-576.

Bardgett, Mark E, et al. "Dopamine modulates effort-based decision making in rats." Behavioral Neuroscience 123, no. 2 (2009): 242.

Bart, Mary. "Students study about 15 hours a week, NSSE finds." The Faculty Focus (2011). https://www.facultyfocus.com/articles/edtech-news-and-trends/students-study-about-15-hours-a-week-nsse-finds/.

Basso, Julia C and Wendy A Suzuki. "The effects of acute exercise on mood, cognition, neurophysiology, and neurochemical pathways: A review." Brain Plasticity 2, no. 2 (2017): 127-152.

Beilock, Sian. Choke: What the Secrets of the Brain Reveal about Getting It Right When You Have to New York, NY: Free Press, 2010.

Berry, Dianne C. "Metacognitive experience and transfer of logical reasoning." The Quarterly Journal of Experimental Psychology Section A 35, no. 1 (1983): 39-49.

Brady, Shannon T., et al. "Reappraising test anxiety increases academic performance of first-year college students." Journal of Educational Psychology 110, no. 3 (2018): 395-406.

Brandhorst, Sebastian, et al. "A periodic diet that mimics fasting promotes multi-system regeneration, enhanced cognitive performance, and healthspan." Cell Metabolism 22, no. 1 (2015): 86-99.

Bridgeman, Brent. "A simple answer to a simple question on changing answers." Journal of Educational Measurement 49, no. 4 (2012): 467-468.

Carter, Evan C, et al. "A series of meta-analytic tests of the depletion effect: self-control does not seem to rely on a limited resource." Journal of Experimental Psychology: General 144, no. 4 (2015): 796-815.

Chang, Y. K., et al. "The effects of acute exercise on cognitive performance: A meta-analysis." Brain Res 1453, (2012): 87-101.

Chiesa, A., et al. "Does mindfulness training improve cognitive abilities? A systematic review of neuropsychological findings." Clin Psychol Rev 31, no. 3 (2011): 449-64.

Christopher, Eddie A and Jill Talley Shelton. "Individual differences in working memory predict the effect of music on student performance." Journal of Applied Research in Memory and Cognition 6, no. 2 (2017): 167-173.

Cousins, James N, et al. "Does splitting sleep improve long-term memory in chronically sleep deprived adolescents?" npj Science of Learning 4, no. 1 (2019): 8.

Cowan, N. "The many faces of working memory and short-term storage." Psychonomic Bulletin and Review 24, no. 4 (2017): 1158-1170.

Cowan, Nelson. "The magical number 4 in short-term memory: A reconsideration of mental storage capacity." Behavioral and Brain Sciences 24, no. 1 (2001): 87-114.

Cox, K. H., et al. "Investigation of the effects of solid lipid curcumin on cognition and mood in a healthy older population." J Psychopharmacol 29, no. 5 (2015): 642-51.

Cutino, Chelsea M. and Michael A. Nees. "Restricting mobile phone access during homework increases attainment of study goals." Mobile Media & Communication 5, no. 1 (2016): 63-79.

D'Angiulli, Amedeo, et al. "Vividness of visual imagery and incidental recall of verbal cues, when phenomenological availability reflects long-term memory accessibility." Frontiers in Psychology 4, (2013): 1-18.

Dehaene, S. and J. P. Changeux. "Experimental and theoretical approaches to conscious processing." Neuron 70, no. 2 (2011): 200-227.

第七章　自分自身をその気にさせるには

1 Rats, dopamine, and increased effort: Bardgett, et al., 2009.
2 Humans will work harder when dopamine levels are high: Treadway, et al., 2012, Wardle, et al., 2011.
3 Thinking about benefits motivates: Hulleman, et al., 2010.
4 No mental break when you reach for a mobile phone: Kang and Kurtzberg, 2019.
5 Mental contrasting as motivational technique: Oettingen and Reininger, 2016.
6 SMART goals: Doran, 1981.
7 Humans have a need for relatedness: Ryan and Deci, 2000.
8 Motivation contagion: Dik and Aarts, 2007.

第八章　効率よく読書をするには

1 The reading process, from letters to idea: Leinenger, 2014, Hruby and Goswami, 2011, Rayner, et al., 2016.
2 Your mind processes information during saccades: Irwin, 1998.
3 Reading experts on Anne Jones reading a Harry Potter book in 47 minutes: Rayner, et al., 2016.
4 Carol Davis quote: E-mail from Carol Davis, July 20, 2019.
5 Recall: Karpicke, 2012. We use the word "recall" as a synonym for the technical term "retrieval."
6 Study that shows the effect of testing on reading retention: Roediger III and Karpicke, 2006.
7 Doubled retention: Karpicke, 2012.
8 Memory and understanding is connected: Karpicke, 2012.
9 Thanks to Kristey Drobney for the ideas behind this section.

第九章　試験で好成績をあげるには

1 Positive effects of test-taking: Rowland, 2014.
2 Best way to prepare for tests: Adesope, et al., 2017.
3 Answer changes during review: Bridgeman, 2012.
4 Test anxiety helps performance: Brady, et al., 2018.
5 Reducing test anxiety: Beilock, 2010, Karpicke and Blunt, 2011, Karpicke, 2012.

第一〇章　戦略的な学習者になるには

1 Overconfident people have poorer metacognition: Molenberghs, et al., 2016.
2 Self-regulated learning in four steps: This model is a slight modification of the self-regulated learning model put forth in Winne and Hadwin, 1998.
3 Effect of training students to become self-regulated: Dignath and Büttner, 2008.

33 Sleep and budding spines: Yang, et al., 2014.
34 Toxins get cleared out: Xie, et al., 2013.
35 Naps help: Cousins, et al., 2019.
36 Lots more about sleep can be found in Walker, 2017.
37 Advice about blue light: Harvard Medical School, 2012, updated 2018.
38 Put cellphone in another room: Hughes and Burke, 2018.
39 Information on relaxing to sleep based on Winter, 1981.

第四章　作業記憶を最大にして、上手にノートをとるには

1 Definitions of working memory can differ dramatically: Cowan, 2017.
2 Three to four pieces of information in working memory: Cowan, 2001; also see much more up-to-date work in this area by Cowan and others.
3 Voice and pictures presented simultaneously make it easier to learn: Mayer, 2014.
4 General sense from research: Jansen, et al., 2017, Zureick, et al., 2018.
5 This is actually a modified version of Cornell note-taking.
6 Retrieval practice more effective than concept mapping: Karpicke and Blunt, 2011.
7 Medical students and same-day review: Liles, et al., 2018.
8 Re-watching video lectures instead of taking notes isn't a good idea: Liles, et al., 2018.
9 Students who use notes from others do almost as well: Kiewra, et al., 1991.
10 Dr. David Handel: Handel, 2019.

第五章　記憶し内在化するには

1 Freeing up working memory helps you think more easily about complex topics: Sweller, et al., 2011.
2 French and Russian revolution example from: Agarwal and Bain, 2019.
3 Conceptual understanding, procedural fluency: Karpicke, 2012, Rittle-Johnson, et al., 2015.
4 Hippocampal pattern-making: Schapiro, et al., 2017.
5 Your brain is super-visual: Oakley and Sejnowski, 2019.
6 2,560 pictures: Standing, et al., 1970.
7 Vivid images are easier to remember: D'Angiulli, et al., 2013.
8 Actively pulling the information from your own memory aids the development of intuition: Himmer, et al., 2019.
9 Internalization includes retrieval processes Adesope, et al., 2017, Agarwal, et al., 2008.
10 Neural reuse theory: Anderson, 2010.

第六章　自律心がないときでも、それを発揮するには

1 Benefits of self-discipline: Duckworth, et al., 2019, Hofmann, et al., 2014, Moffitt, et al., 2011.
2 Removing temptations: Milyavskaya and Inzlicht, 2017.
3 The time it takes to form a habit: Lally, et al., 2010.
4 Students who planned studied 50% longer: Sheeran, et al., 2005.
5 Planned responses to obstacles completed 60% more practice questions: Duckworth, et al., 2011.
6 91% of people who planned met their exercise goals: Sniehotta, et al., 2006.
7 Roosevelt best-read man in America: Roosevelt, 1915.

第三章　より深く学習するには

1 You also do something more when you practice over many days—it's a process called myelination, that coats your neurons with an insulation that helps speed up neural signals. But the concept of myelination is not necessary to understand the creation of new links that initiates the learning process. Excellent review papers on the creation of links in memory are Poo, et al., 2016 and Josselyn and Frankland, 2018.

2 Active practice reduces test stress: Smith, et al., 2016.

3 Renno-Costa, et al., 2019 notes that "Synapse strength is proportional to synapse size…" but of course there is also an increase in receptor density and many other factors that increase synaptic strength—the illustration is just meant to give a feel for the improved connectivity, rather than to be completely accurate from an anatomical perspective.

4 Retrieval: Karpicke, 2012 Antony, et al., 2017.

5 This is related to Anders Ericsson's deliberate practice. See Ericsson and Pool, 2016 for a readable, book-length description of Ericsson's research.

6 Elaboration: Dunlosky, et al., 2013.

7 Explaining steps: Berry, 1983.

8 Understanding not only concepts and also differences between concepts appears to relate to hippocampal differentiation and well as integration of material. Sekeres, et al., 2018.

9 Interleaving and the study of artistic styles: Kornell and Bjork, 2008.

10 Coaching and interleaving: Beilock, 2010.

11 BDNF and exercise: Szuhany, et al., 2015. Image after Lu, et al., 2013.

12 No current guidelines: Per email Aug 16, 2019 with Jennifer Heisz, Associate Director Physical Activity Centre for Excellence, McMaster University.

13 10% improvement: Heisz, et al., 2017.

14 Meta-analysis: Chang, et al., 2012.

15 Exercise guidelines in the US: U.S. Department of Health and Human Services, 2018.

16 Exercise and physiological effects: Basso and Suzuki, 2017, Szuhany, et al., 2015.

17 High-intensity interval training: Jenkins, et al., 2019.

18 Music helpful: Stork, et al., 2019.

19 Haven't panned out: Gingko: Laws, et al., 2012 Ginseng: Geng, et al., 2010

20 Caffeine: Glade, 2010, Nehlig, 2010; Phytochemicals and guarana: Haskell, et al., 2013.

21 Glucose: Smith, et al., 2011.

22 Overeating versus fasting in relation to cognition: Mattson, 2019.

23 Fasting: Brandhorst, et al., 2015, Mattson, 2019.

24 Cocoa: Socci, et al., 2017; Flavenoids: Rendeiro, et al., 2012; Curcumin: Cox, et al., 2015.

25 Enhancement of combined effect: Adan and Serra-Grabulosa, 2010.

26 Exercise & diet combine to enhance cognition even more when done in conjunction: van Praag, 2009.

27 Vegetables, nuts & berries & cognition: Miller, et al., 2017, Pribis and Shukitt-Hale, 2014.

28 Avoid fast foods: Tobin, 2013.

29 Re-opening of critical period of learning and promotion of neural plasticity Gervain, et al., 2013, Ly, et al., 2018.

30 Synthetic stimulants: Repantis, et al., 2010 Smith and Farah, 2011.

31 Neuroscientists rarely use non-invasive brain stimulation on themselves: Shirota, et al., 2014.

32 Companies are secretive; don't remain committed users: Jwa, 2018.

第一章　どこまでも集中し、そして怠けぐせに打ち勝つには

1 Disruption and multi-tasking are harmful: Mokhtari, et al., 2015.
2 This is a process called consolidation. Fiebig and Lansner, 2014. The fact that brief mental breaks help with consolidation is discussed in Wamsley, et al., 2010.
3 Pain in the brain: Lyons and Beilock, 2012.
4 52 minutes with a 17 minute break: Thompson, 2014.
5 Cognitive cost of using a cell phone during breaks: Kang and Kurtzberg, 2019
6 Students not using phones did better: Kuznekoff and Titsworth, 2013.
7 Phones are distracting when nearby: Ward, et al., 2017.
8 Best to leave phone out of reach: Cutino and Nees, 2016.
9 Neural information made available to consciousness: Dehaene and Changeux, 2011.
10 The cognitive cost of task-switching: Rubinstein, et al., 2001. Supertaskers: Medeiros-Ward, et al., 2015.
11 An average of 35 seconds: Mark, et al., 2016.
12 Websites blocked: Mark, et al., 2017.
13 Effects of long periods of focus: See Garrison, et al., 2015 for an interesting study of the effects of focused meditation on reduction in activity of the default mode network, which plays an important role in creativity.
14 Cognitive exhaustion plays a role: Madjar and Shalley, 2008. "Cognitive exhaustion" is an elusive term-there don't appear to be any fMRI studies that give a metabolic sense of what might actually be happening when you tire mentally. Theories of failures of self-control as arising from "ego depletion" have been questioned. Carter, et al., 2015 At the same time, it's pretty clear that there is a metabolic cost to the areas of the brain that are used more during thinking processes. Ampel, et al., 2018.
15 Do nothing when taking a break: Wamsley, 2019.
16 Breaks allow new ideas to settle into place: Wamsley, 2019.
17 Hours spent studying by medical school students: Liles, et al., 2018.
18 Average hours spent studying by more typical students: Bart, 2011.
19 Working memory and music: Christopher and Shelton, 2017.
20 History and overview of binaural beats: Turow and Lane, 2011.
21 A metanalysis of binaural beats: Garcia-Argibay, et al., 2019.
22 Meta-analyses of the effects of meditation: Chiesa, et al., 2011, Sedlmeier, et al., 2012.
23 Yoga's effects on the brain: Gothe, et al., 2019.

第二章　行き詰まりを克服するには

1 Focused and diffuse modes are referred to by psychologists as task-positive and task-negative networks, respectively. Neuroscientists use the term default mode network for the diffuse mode. Fox, et al., 2005.
2 Laying pathways: Sekeres, et al., 2017
3 The default mode ("diffuse mode") and creativity: Kühn, et al., 2014.
4 The hard start technique works because of something called the "incubation effect." As described in Sio and Ormerod, 2009, a number of factors may be at play.
5 Coffee shop: O'Connor, 2013. Noise disrupts focus (working memory): Sinanaj, et al., 2015.

[著者プロフィール]

バーバラ・オークレー Barbara Oakley

工学博士。ミシガン州ロチェスターにあるオークランド大学教授で、二〇一八年度ミシガン州優秀教授賞受賞。コーセラ（二〇一二年にアメリカで創立された教育技術の営利団体）創立以来の"イノベーション・インストラクター"である。米国生物・医療工学研究所と電気電子工学研究所のフェローでもある。一九九八年、オークランド大学からシステム工学の博士号を与えられている。世界最大の生体工学の学会、生体臨床医学学会のバイスプレジデントを務めていた。

オラフ・シーヴェ Olav Schewe

ノルウェーのオスロにある教育テクノロジーのスタートアップ企業、エデュカスの創業者兼CEO。学生のよりよい学び方のソリューションの開発に取り組んでいる。世界最大の教育テクノロジー企業の一社、カフートの教育コンサルタント兼スペシャルアドバイザー。同社の抱えるユーザーは世界中に一〇億人以上を数える。二〇一〇年にノーウェジアン・スクールオブエコノミックスとカリフォルニア大学バークレー校から学士号。二〇一四年には、オックスフォード大学サイードビジネススクールでMBAを極めて優秀な成績で取得している。

[訳者プロフィール]

宮本喜一 みやもと・よしかず

1948年奈良市生まれ。一橋大学社会学部、経済学部卒業。ソニー、マイクロソフトを経て独立。ジャーナリスト、作家、翻訳家。主な著書に『ロマンとソロバン』『ソニーは銀座でSONYになった』（プレジデント社）『井深大がめざしたソニーの社会貢献』『本田宗一郎と遊園地』（ワック）『マツダはなぜ、よみがえったのか？』（日経BP）などがある。また主な訳書は『ジャック・ウェルチ わが経営』（日本経済新聞出版社）、『トム・ピーターズのマニフェストシリーズ』『明日は誰のものか～イノベーションの最終解～』（ランダムハウス講談社）、『ビジョナリー・ピープル』『勇気ある人々』（英治出版）、『ヴァージン流』（エクスナレッジ）、『世界で最も偉大な経営者』（ダイヤモンド社）、『ドラッカーの視点』『ドラッカーの講義（1943-1989）』『ドラッカーの講義（1991-2003）』（アチーブメント出版）など。日本ペンクラブ会員。

アチーブメント出版
[twitter] @achibook
[Instagram] achievementpublishing
[facebook] http://www.facebook.com/achibook

学び方の学び方

2021年（令和3年）1月30日 第1刷発行
2021年（令和3年）5月2日 第5刷発行

著者	バーバラ・オークレー、オラフ・シーヴェ
訳者	宮本喜一
発行者	塚本晴久
発行所	アチーブメント出版株式会社 〒141-0031 東京都品川区西五反田2-19-2 荒久ビル4F TEL 03-5719-5503／FAX 03-5719-5513 http://www.achibook.co.jp
装丁	鈴木大輔（ソウルデザイン）
本文デザイン	大場君人
本文DTP	華本達哉（aozora.tv）
イラスト	大野文彰
校正	株式会社ぷれす
印刷・製本	株式会社光邦

ISBN 978-4-86643-088-1